現代俳句精鋭選集19・目次

Jacket designed by Luis Mendo

はじめに

本書は現在ご活躍の秀れた俳人のアンソロジーです。

作品の仮名遣いは、各作家の意向に従いましたので、新仮名・旧仮名の両方があります。

また作品の末尾に各作家の小論を設けました。

小論は作家の所属している結社の主宰者、作家をよく知っている識者、またはご自分でお書きになった場合もあります。ご鑑賞の一助になれば幸いです。

最後になりましたが、本書に寄せられた関係者各位のご厚意にお礼を申しあげます。

現代俳句精鋭選集19

青木ともじ

あおき・ともじ

平成6年9月16日千葉県生まれ。所属：「群青」。平成22年「第13回俳句甲子園」個人最優秀賞受賞。25年「群青」入会。「群青」同人。

初山河むけて鐘木を振りかぶる

あたたかや二人で運ぶ長机

耕や湖《うみ》より引きし水のあを

みな同じ岩を踏みゆく磯遊び

ふらここの声だけ高く昇りけり

風船を連れ不自由な体なる

指差せば一人静と教へらる
陰毛の残る便座や寒戻る
かぎろへば神奈川へゆく橋にゐる
踏めば殺せるほどのがうなを愛しけり
雛段の骨組みひややかに崩す
三月の壊すタイプの貯金箱
入試監督きれいなこゑではじまりぬ
名をもたぬ山のあかるき卒業期

米櫃へ米満たしゆく彼岸かな
ヒヤシンス並べなほして退任す
やはらかに廃車積まるる桜かな
去り際に始まる祈禱花曇
泳ぎ終へしごとくに花の袖を脱ぐ
桜湯のために湯の沸くしづけさよ
遠足のリュックの底の濡れてをり
包帯に蓬の香の残りけり

生卵割る背筋まで新社員

田楽を串の出でゆく力かな

人類に火があり天に藤があり

性欲とは藤のかすかな芯のやう

白蝶を吹き消すやうに見失ふ

パンケーキの断面ましろ涅槃西風

粉をとかすだけのスープや春の星

飼ひ猫か野良猫か朧を曳いて

対岸を眺めてをれば春終る

スティックシュガー音たてて出る立夏かな

母の日の待ち針をやや深く刺し

店先の鸚鵡で遊ぶ若葉冷

ガレージを一気に開けて雲の峰

立ち漕ぎの一歩目強き植田かな

こんな所まで来て夏草に座る

花合歓近し観覧車もうすぐ終はり

薫風やまづまつ青に塗る琵琶湖

なゐしづか花氷まで染みわたり

ぢつと見る待合室の蚊遣香

苦しんで死ねば汗なら残るだらう

決別の手紙やがては紙魚のもの

描きをへて窓際へ薔薇活けなほす

のつぺりと羊羹倒す暑さかな

三日目のビーチパラソル濡れてゐる

館内図にはいれぬ部屋や黴の宿

製図台等しく傾ぐ西日中

売る籠のすべてからつぽ登山道

草笛に飽きてきれいな川である

夕されば読みさすやうに滝を去る

島一周マップ蠛蠓ばかりゐて

日傘して孤島のやうな女かな

友を待つ背に噴水を感じゐる

三人のうちの浴衣でなき一人

花火まで届かぬ声をあげにけり

焼け跡の蠅がゆつくり立ち上がる

酒樽のひとつあらたし秋立ちぬ

秋の野に風上のあり歩き出す

標本箱に砂の積もれる終戦日

毬栗のよい持ち方を教はりぬ

その闇がみなみのうを座だと彼が

特急にホームの余る雁渡し

菊の日の寺に裏口見つけけり

皿に入れポン酢あかるき良夜かな

爽やかに画箱に傷や成人す

わけいつて山頭火忌の酒場かな

虫籠も積んで汚れた室外機

秋の蚊をしばし相談して打ちぬ

天高し象真つ黒に洗ひあぐ

旧友は嫁いで百舌鳥の街にゐる

森色のウォッカの瓶や夜学生

新月は肌の白さに地中海

きつとすぐ忘れる流星の話

暗幕はかすかに緑冬に入る

理科室のうしろのストーブが匂ふ

フラスコの沸騰を待ち山眠る

実験のマスクがすこし驚きぬ

背もたれに余るコートの長さかな

漕ぎ出しは獣の目してスキーヤー

枯野に影人ならぬもの人がたに

星空に深いところやイオマンテ

火事跡は画廊の明さもて暮るる

旅人の群れを離れて咳きぬ

枯薄やがてなにかが建つまでの

まいにちの中に夜があり吹雪きけり

おほかたはわたしの上に降らぬ雪

雪吊やしてゐぬ旅の話など

地球儀は高いところへ煤払

高橋も高橋もゐて賀状書く

湯豆腐の波に豆腐のくづれけり

電球のなかの暗がり根深汁

しやがみ込みマフラーに池触れにけり

絵の富士はいつもまんなか風生忌

文殻のやうに蜜柑の皮を閉づ

夜廻りのひとにちひさな橋があり

猫に逃げられ落葉から描きけり

あづかりし子のよく笑ふ炬燵かな

天狼やいつしか村のなくなりて

寒オリオン湯船に四肢の丁度よし

いつか返さうＣＤとマフラーと

友ひとり失くして夢にゐる鯨

ああ、無常——山口優夢

まいにちの中に夜があり吹雪きけり

太陽がのぼって沈んで、真っ暗な夜が過ぎる。それが結果的に一日として認識されているに過ぎない。しかし何十年という時間を生きて一日一日時間が降り積もり、「まいにち」になれば、一日という区切りがまるで所与のものとしてあるように感じられる。そこに、毎日毎日、夜が来ることの不思議さを感じる心性が生まれる。

「時間」が人間となんの関わりもなく流れていく、それを人間である私が感じている。何千万年、何億年前の冬にも、同じようにふぶいた夜があったことだろう。句の中から徹底的に人間の気配を消すことで、逆に人間である作者が大きな時間の流れの一端に触れているような気配がある。

ああ、無常。他者に向けてつぶやく「ああ、無情」という言葉より、さらに根源的なものに向かって彼はつぶやいているのではないか。

決別の手紙やがては紙魚のもの

標本箱に砂の積もれる終戦日

苦しんで死ねば汗なら残るだらう

紙が紙魚に食われるのは無常な世界の一諸相であろうが、それが「決別の手紙」というそれ自体人間関係の無常さを示すものである点。虫が死後、標本として再び人間のため（だけ）に生き始めてからも、砂が積もり日々は流れてきたという発見。「死ねば」「汗なら」と二重に条件節が出てくる言い方のつたなさがむしろ表してしまう「苦しまずに死んだら汗すら残らない」という強迫観念。

三人のうちの浴衣でなき一人

無常を感じる心とは、そうおおげさなものばかりでもあるまい。三人集まったうち浴衣でない人が一人いた、という「たまたま」な感じ。それを十七音に記録しておきたいという欲求とうらおもてなものだ。私たちには私たちの時間があり、私たちには関わらない時間もまたある。その二つが交差する地点に立てるのは、彼の良き特質のひとつだろう。

石井洋子

いしい・ようこ

昭和18年3月9日三重県生まれ。所属結社:「煌星」。平成11年「優遊句会」(講師 石井いさお) 入会。15年「天佰」同人、天佰賞。16年「煌星」編集同人。22年俳人協会会員。著書『凮のハミング』。

初日の出遠方の雲にも朱を配る

大どんど火の領巾を振り高揚がる

初舞や扇子一本海となし

的の芯射る音高し弓始

弓始的に当り矢震へをり

シャガールの絵に鏤むる春の色

春光をこぼし木馬の回転す

観音の襞を春光流れ落つ

黄砂飛ぶ中に日輪いぶし銀

音が音呼びて轟く雪解川

先の水砕きて奔る雪解川

内裏雛畳はみ出す十二単

うなづきは言葉の余白壬生狂言

乗り捨てて揺れの狂ひし半仙戯

ふらここや水平線を目交に

ばた足を蹴り足に変へ潜る海女

空の凧糸一本で対話せり

子馬立つ母の鼓動を聞きながら

母馬の影の中にて仔馬食む

蝌蚪一つ息して水輪広ごりぬ

天平の甍を越えて揚雲雀

鮊子を船丸ごとに糶り落とす

半日の天日に鮊子身を反らす

陣形を空に移せる帰る鴨

紅白の組紐紡ぐ枝垂梅

水に落ち赤き糸引く藪椿

キュランダに弧を描く列車風涼し

割れ甕も夏のオブジェや陶の街

梅雨大河真水と潮が鬩ぎ合ふ

梅雨湿り蔵王連峰無彩色

白雲《ニュージーランド》を巻き込み白き滝落つる

万年《カナダ》の時の記憶や大氷河

笙の音の川面流るる三船祭

力尽き噴水の穂の乱れ散る

宇宙語のとびかふ市場金魚競る

ガラス器に色のはじけるさくらんぼ

花片を芯へきりりと紅薔薇

蝸牛一筆書の殻を持つ

一分の息が勝負や鮑海女

田植機や緑の罫線引き進む

御田祭水口強く清め塩

捕はれてなほ点滅す掌の蛍

指一本緩めて結はぬ鵜の手縄

波乗りや一瞬に読む波の息

踏み出して祭太鼓の芯を打つ

まぶた閉ぢ指に語らす祭笛

祇園祭結び目固き鉾の綱

女王花白金の夢朝に閉づ

蓮の葉の密生原始の闇作る

揚がりつつ有彩色へ揚花火

大花火揚がる軌道の定まらず

木簡や時代の記憶虫干す

炎天や濃度深める御塩浜

空蟬や身は空つぽの存在感

風の盆　一句

脚高し男踊の一直線
踊の輪回転しつつ進みゆく
後退の歩もねんごろに踊の輪
火の粉噴き一画滲む大文字
精霊舟舳先は西に波まかせ
名月や安乗の木偶に血が通ふ
月光の雫を貰ひ墨をする
観月会最高潮に笛のソロ

天高し更に高みへ鳶の渦
機を織る杼に秋風をすべらせて
運動会大地摑みて人を組む
寄る鹿の会釈が言葉神の庭
万トンの水の一滴鯊の竿
紺青の海に白点鰡飛べり
赤とんぼ風の隙間に小休止
蔵人や醪の呟き肌で聞く

湯気ふいて会話ころがる芋煮会
愁嘆の極みに撥や村歌舞伎
地の底に声を沈めて残る虫
木の実独楽軸定まりて音たてず
比良比叡ひとつに暮れて秋深し
衣擦れの音とも聞こえ散紅葉
鴨飛来水の匂を覚えゐて
千里来て白鳥の白翳り無し

白鳥の瓢湖を揺する大飛翔
大鷲や鋼の翼風を切る
風摑み気流を滑る冬の鳶
整列の笛を吹きたし乱れ鴨
初冠雪富士の百沢脈打てり
伊勢湾を雪まみれなる陽の渡る
降る雪や一粒づつの軌跡描く
藍甕の灰汁と対話の霜夜かな

鰤起し闇を壊して轟けり
山の田の歪それぞれ冬日抱く
冬濤や八重潮白き牙を剝く
白障子開ければ一万尺の山
雪吊りの縄一点に絞らるる
深深と火箸沈みぬ新藁灰
山家には山家の文化柚子の味噌
島島を衝立にして牡蠣筏

田に大根浜に魚干す御饌つ国
面相の筆の線成す冬木立
寒林や命の叫び天に吹く
風の襞滑り落ちたり桐一葉
木の葉落つ寂《ほろ》びの光放ちつつ
朴落葉空の緊張解れたり
単調は神代のリズム花神楽
機織の杼の走り継ぐ年の暮

流れる春光――石井いさお

洋子は絵が好きで藪本積穂先生、本田翔穂先生に俳画を習って早三十年経った。いつの頃からか絵に自分の句を添えたいと思い始め私（いさお）について俳句を習い始めた。だから彼女には色の佳句が多い。

　揚がりつつ有彩色へ揚花火
　千里来て白鳥の白翳り無し

多趣味だが、中でも仏像が好きでよく奈良や京都の古寺巡りをする。

　観音の襞を春光流れ落つ
　木簡や時代の記憶虫干す

光を流線型に詠んだり、遥かな古代のロマンに思いを馳せたりして古代と語らっている。

古典芸能や民族芸にも関心が深く、

　うなづきは言葉の余白壬生狂言
　単調は神代のリズム花神楽

など伝承芸の深奥に迫る鋭い句を作っている。

志摩や鳥羽をホームグラウンドとし、

　一分の息が勝負や鮑海女
　名月や安乗の木偶に血が通ふ

のようにぎりぎりの線まで潜って漁をする鮑海女の姿を活写したり、後句のように対象と一体化して木偶人形の本質を浮き彫りにする秀句を発表している。

本人は気づいていないが、意外に力強く断定する句に秀でたものが多く、

　大鷲や鋼の翼風を切る
　先の水砕きて奔る雪解川

などを私は高く評価している。

絵や音楽に培われた感性が豊かなこと、旅吟に強みを発揮すること、集中力があることなど伸び代は多いので今後の益々の活躍を楽しみにしている。

　寄る鹿の会釈が言葉神の庭

見えない物を見える形にする表現力を更に磨けば前途は明るい。

尾畑能利子

おばた・のりこ

昭和8年10月13日兵庫県生まれ。所属結社：「花野」。平成7年より中井之夫に師事。8年「花野」創刊に参加。13年花野賞受賞。「花野」同人。23年犬鷲賞受賞。26年1月より「花野」編集長。

古雛に母の重なり捨て難し

餡パンを分け合う老いや春炬燵

探梅や犬の散歩の歩を延ばす

竹箒に少し重たき春の雪

沈丁花仄かに香り本を閉ず

早春の満ちくる息吹ループ橋

古雛の箱紐を解く夫の留守

若草の野を流れゆく鳶の影

風花の窓に遊べる写真展

病みし子の読書に付き合う日永かな

病みつつも牡丹一株咲かせけり

校門を吹き出して来る花吹雪

紫雲英田に養蜂箱の転がれる

鳥曇り子の名を探す書道展

磴くだる背に無住寺の桜散る

春浅し眠らぬ熊の捕えらる

春鹿に見送られ行く村外れ

春泥を跳び越す犬に続きけり

腰までも浸かる釣り人春の川

春寒や売り家の蔵の戸の厚き

山裾の畑それぞれに梅一樹

戯れつつ白蝶二つ野に失せし

穂を垂れし茅花祈りの刻を待つ
口開かぬ頑固も混じる蜆汁
木蓮に風の囁く夕べかな
雨迫る夕べや急ぎ牡丹切る
踏切を急ぐ親子の夏帽子
野の花を活けて五月の風招く
沖をゆくタンカー遅々と浜暑し
新緑の連山入れる大玻璃戸

サッカーや地球儀回す梅雨の夜
短夜の夢の断片持ちしまま
饒舌な大樹の小鳥夏の明け
野菜売る車に積まれ花菖蒲
合歓の花丘に小さな遊園地
老鶯のすぐそこに鳴き雨あがる
特急の長き警笛巴里祭
夏蝶の戯れながら消えにけり

製氷機故障のままに夏ゆきし
夕風の攫って行きし夏帽子
父の日や留守の間に荷の届きけり
山河ありと大書の黒板敗戦忌
保育所の灯る一部屋夏夕べ
救急車炎暑の辻へ入りけり
色づきし鉢のトマトに目を休め
梅の香の厨に満ちる一日かな

自転車を沈める深き夏野かな
蟷螂の郵便受けを覗きけり
鬼ヤンマ車窓を覗き離れけり
山道の紅葉に触れ歩荷の荷
秋落日坂を駆け行く塾への子
大銀杏を真ん中に置き丘の墓地
カンナ咲く村に図書館バスの来る
秋扇手提げの底に探りあて

秋めくや荒磯近き釣りの宿

秋蕎麦や女の仕切る村おこし

一人して刈り萩を焚く忌日かな

木犀の樹下に息つぐ男坂

秋耕の一癖ありし畝並ぶ

信号機見上ぐ彼方に秋の虹

草陰の空毬痛き栗拾い

息深く木犀の下過りけり

花籠へ萩を盛らんと零しけり

水音に枯蟷螂の振り向きし

幼子の眼に捉えいる秋の虹

朝市に蔓つけ通草並びけり

穭田に軽四輪の安息日

秋蝶の地に戯れる黄二つ

秋霖や日の大方を犬は寝て

落柿止む庭の陽強き一日かな

萩の花一つ零れし子犬の背
散る日待つ銀杏黄葉の豊かなり
夕暮れのバス停の空鳥渡る
転がりて犬に嗅がれる竜の玉
烏瓜熟れる鎮守の森の黙
藪柑子隣人となる若夫婦
亡き友を偲ぶ一日牡丹雪
笹鳴きの庭に一歩を踏み出せず

半開きの土蔵の扉冬めける
風の中幼児に被す冬帽子
仕舞い湯へ近き梟の声優し
蔓のまま提げて土産の冬苺
幼子を勝たせて終える歌留多取り
冬地下街笠を目深に異人僧
寒梅や奥へ奥へと朱の鳥居
寒戻る裏の林を騒めかし

梟啼く大きなルーペ覗くとき
街角に湯煙あがり蟹茹でる
冬うららパン屋のドアの鈴の音
雪踏んで雪吊りに来る庭師かな
置き去りの車に一つ冬林檎
手袋の片手を探す戻り道
送りに出て振り向く峯に冬の虹
年用意いつもの手順で終えにけり

深呼吸だけの体操年の暮れ
藷粥をすすりて老いの雪籠り
冬菜手に下げたるままの立ち話
大寒の古本市を目指しけり
冬深し夜の静寂に遠汽笛
水仙の風に暮れゆく岬かな
何となく書肆に入りし年の暮れ
クレーン車の傍より立ちし冬の虹

「花野」育ちの編集長——中井之夫

「花野」編集長の尾畑能利子さんは、これまでの編集長とは違って他の結社に所属した経験がなく、まさに「花野」生まれの「花野」育ちの編集長である。

平成二十七年六月、私にステージⅣの食道癌が見つかったとき、「花野」は廃刊にするしかないと覚悟した。ところが彼女は、同人会長の尾畑悦子さんと相談して一二四号を発行し、さらにそれ以後も何とか皆で協力して続けていきたいと、二人で病床の私を訪ねて言ってくれた。そのおかげで奇跡的に「花野」は今も存在し、今年の九月には、季刊にはなったが一四一号を発行した。

「花野」には花野賞と犬鷲賞の二つの賞があるが、尾畑さんは第三回花野賞と第九回犬鷲賞を受賞している。以下、作品の一部を紹介する。

春泥を跳び越す犬に続きけり
山裾の畑それぞれに梅一樹
七夕竹飾り都心の地下通路
夕風の攫って行きし夏帽子
青梅や寺の学僧今はなく
野の花を活けて五月の風招く
沖をゆくタンカー遅々と浜暑し
藪柑子隣人となる若夫婦
笹鳴きの庭に一歩を踏み出せず

尾畑さんは、文字や言葉をとても大切にする人である。こまめに辞書を引き、一字一句、丁寧に選びながら句を作る姿勢にはいつも感心させられる。

「花野」創刊の前年、私が講師をしていた「初心者俳句講座」の受講生として俳句の扉を開いた尾畑さん、あれから約二十五年、「花野」と共に歩んできた彼女の作品は、ますます深みを増しながらこれからも成長を続けるものと期待している。

川上さちこ

かわかみ・さちこ

本名・幸子（さちこ）。昭和22年7月15日福井県生まれ。所属結社:「青芝」。平成10年「青芝」入会、中村菊一郎、梶原美邦先生に師事。16年幽石賞、23年青芝賞受賞、無鑑査同人、俳人協会会員。

賀状より幸せ家族はみ出しぬ

一刷毛の雲に満ちたる淑気かな

円卓をつぎ足し祝ふ節料理

かしこみて猫通り過ぐ障子影

幸せを呼び込む気配白障子

破魔矢抱く少年の眼大人ぶる

梅真白足利学校入学証

梅こぼれ白さの奥に悔いひそめ

風二月子の転勤の決まりけり

良き事の連鎖反応頬白来

桜どき浮かれだしたる日本地図

青葉風尾鰭をつけて谷渡る

春塵の見て見ぬふりの縁の先

サッカーの少年春日蹴り上ぐる

掛軸の文字の流るる春の宵

茶室みな梅の設へ香ほのか

木の芽風大きくふくらむ旅話

名前だけ一人歩きす春の昼

啓蟄の雨が音色に変はりゆく

花冷えの乾門への列長し

薄氷に透かして今日を垣間見る

平凡が一番といふ春嵐

鍵つ子の大きく育つ新樹かな

目の端にいつも児のゐる風五月

遺伝子の一つが騒ぐさくら好き

蓮莟秘め事一つ抱へをり

目印は藤の花よと待ち合はす

ミサンガの腕高々風光る

電話口余韻を残す麦の秋

青嵐人それぞれにそまりゆく

オリーブの葉裏を急ぐ青嵐

少年の愛読春の時刻表

新樹光一歩一歩が軽くなる

青嵐少年海の匂ひ持つ

稽古事一つ減らして梅雨に入る

菜の花に昭和を思ふ一日あり

骨董市の長き藍蓄薄暑光

若狭路の風に躓く夏の雲

雲の峰城の遺跡に風騒ぐ
梅雨蝶に眼鏡何度も拭き直す
噂するパワースポット木下闇
夏帽子大きく影を育てをり
万緑へ夢語り出す実習生
早苗田の力の限り空映す
少年の夢はポケット若葉風
男下駄借りる修善寺蛍狩

花菖蒲大人の香り醸し出す
影法師一気に夏に突入す
微笑みを残して去りぬ夏帽子
向日葵の黄の輝きや家族増ゆ
梅雨湿りわが家の匂ひ膨らみぬ
河川敷風のどよめく大花火
オカリナの響きの先へ雲の峰
僧の手に光る指輪や夏来たる

人並みにかばふ腰痛戻り梅雨

黒揚羽煩悩一つ誘ひけり

店頭の西瓜が話し掛けてくる

心太するりと未来が見えてくる

故郷は母が主役の夏座敷

母の髪手櫛で撫づる晩夏かな

芋嵐動体視力試さるる

秋夕日父と児の影伸ばしをり

何時よりか留守の家なる秋簾

奥入瀬の水澄む所折り返す

藍浴衣母の仕草を真似てをり

風鈴の音にもあらがふ反抗期

和太鼓の響き合ひたる夏の月

休暇果て子等は自立のみちを行く

湯上がりの匂ひそのまま花火の子

団欒の余韻をまとふ夕端居

少年の眼差し遠く雲の峯
想ひ出は木の実と共に散りにけり
炉開きの肩寄せ合ひて客となる
一斉に根元はぢらふ蕎麦の花
空瓶が一輪挿しとなる月夜
秋時雨靴音返す丸木橋
旅装解き一服の茶に秋惜しむ
裏木戸の閂堅し冬に入る

茅葺きの燻す煙に秋気澄む
行く秋や骨董市の京訛
手帳いま秘密の時間夜の秋
新松子付かず離れず兄弟
小春日や相槌求む人の居て
チェロの音の練習曲にある秋思
影一つ落として深む夜の秋
目薬の一滴ほどの秋思かな

古民家の今は昔の秋の風
初午や角の欠けたる砂糖菓子
蟹解禁故郷便の福が来る
ページ繰る指の乾きへ木枯す
子との距離受け入れてをり花八ッ手
足湯して四方山話冬夕焼け
木枯やけふは草津の入浴剤
空き箱の捨てられぬまま日記買ふ

公園の指切りげんまん冬うらら
枯落葉一人の時間ざわつかす
サーカスのテントの軸より冬ざるる
洋上の冬の銀河に見守らる
寒卵黄身の二つが笑ひ合ふ
木枯はまだかと問ふや裸婦の像
ポケットにシネマの半券冬温し
マフラーに去年の匂ひ持ち歩く

少年の視線――梶原美邦

川上さちこさんは越前のお生まれである。その故郷を詠んだのが次の三句、

蟹解禁故郷便の福が来る

若狭路の風に躓く夏の雲

青嵐少年海の匂ひ持つ

この句の底には日本海の厳しさと豊かさが育んだ詩情が潜んでいるように思われる。

職場の同僚のお誘いで平成十年に「青芝」に入会され、二十三年には青芝賞を受賞され、今は「青芝」の編集同人である。

お仕事は子供たちの学習や成長をサポートする先生。接する少年たちの句が多い。

破魔矢抱く少年の眼大人ぶる

少年の眼差し遠く雲の峯

この二句は少年の成長しようと焦慮する内面の動きを眼の表情として描いている。

サッカーの少年春日蹴り上ぐる

少年の愛読春の時刻表

少年の夢はポケット若葉風

一句目は「春日を蹴る」が動きを印象的に表し、次の句は「時刻表」を空想の旅を続ける時間として示し、三句目は少年のポケットの中にあるものは旅という夢（時刻表）であるかもしれないと想像させる。そして、心太のようにあっさりと子供たちの本音をひきだし、未来を想像して愉しむのである。

心太するりと未来が見えてくる

このように少年の遠慮のない眼へ微笑みかけ、諧謔的な切り口で詩を紡ぎ出している。

目の端にいつも児のゐる風五月

湯上がりの匂ひそのまま花火の子

子との距離受け入れてをり花八ッ手

「児」は自身の子を含めた児どもたちで、「子」は自身の子どものみの意である。視野に児どもたちの定席を設えて、付き合っている。川上さちこ俳句は少年（六歳から十八歳ほどの男女の意）の新鮮な視線を児どもたちとの日々の生活の中から敏感に捉えながら、印象的な詩として深めているように思われる。

川手和枝

かわて・かずえ

昭和22年3月28日広島県生まれ。所属結社：「創生」「天穹」「楓」。昭和53年「さいかち」入会。吉村馬洗、田中水桜に師事。平成元年「創生」創刊同人。4年「さいかち」同人。10年「天穹」創刊同人。本橋定晴師事。16年俳人協会会員。26年静岡大会一位。29年大阪大会一位。30年創生賞。

橙に正面ありて鏡餅

屠蘇交す不思議な縁ほのと酔ひ

ふるさとや吾子に自慢の初御空

まばたきをすれば初夢逃げてゆく

歌留多読む恋の主役になりきつて

喰積に一品加ふ離乳食

初鏡よはひ素直に受けとめむ
母となる子との語らひ福寿草
羽子板の褪せてもゆかし藤娘
霜柱踏むや大地の声あぐる
食細き父に手土産寒卵
核心に触るれば息の白さ増す
ペンだこにペンを重ねて事務始
啓蟄や偏差値いつもつきまとふ

注射針落ちてきさうに氷柱垂る
寒鯉や行者の顔を持て沈み
塾の子を定位置で待つ寒北斗
撒く豆も拾ふ役目も子が主役
菰巻を解かれし松のうすじめり
胸中の鬼に一喝豆を撒く
受験子を送り出すまで帰るまで
降る雪に今来し道を見失ふ

母にしか出せぬ味はひ蕗のたう
癒えてこそ句会へ一歩風光る
校庭を斜に走る春の猫
水温む主婦になりきる声上げて
囀に集落五戸のありにけり
囀や水ゆさぶつて菜を洗ふ
地の息吹つかまんとして青き踏む
春昼や鳩は首もて動き出す

素手で受く草餅にある重さかな
空遠くブッセの山へ日脚伸ぶ
寿も忍も七画下萌ゆる
親の義務子も義務果し卒業す
偏差値といふ道づれの入学子
黄雀のまだ野の風に逆らへず
点滴につながれてゐる養花天
農捨てし者の集ひて田を植うる

緑どりの新しき泥燕の巣
子燕のひと呑みできぬ虫かけら
田の底に大き足跡蝌蚪の陣
どの寺の鐘のこだまや春の昼
花ふぶく中や行き交ふロープウェー
さくら湯のひとひらごとの和みかな
家系図の両家を結ぶ蝶の羽
春宵やつぶやき溶くる角砂糖

来し方も行く手もさくら一色に
春愁や息かけて押す認印
曲がるだけ曲がる葉先のかたつむり
母の日や母には触れず父囲む
母の日や今なら孝行できたはず
ゆつくりと縒りを戻して菖蒲咲く
菖蒲湯に浮かぶあひるの玩具かな
王朝のいろを湛ふや桐の花

バラ咲くやまこと漢字の薔薇のごと
サーフィンや遠州灘の大しぶき
竹の皮脱げば世評を真に受けむ
竹の皮脱ぐや内巻き癖のまま
麦熟れて先祖の土地を明るうす
天空に両家の家紋武者幟
神の代の法ゆるがさず松の芯
万緑やロープウェーに葵紋

父の日や禁煙いまだ守られず
花蜜柑匂へる島となりにけり
記念樹の伸び放題に柿の花
梅漬けて琥珀色まで眠らしむ
共白髪映る水面の花菖蒲
蛇に会ひ息をころして見るゆくへ
家康の手形に汗の手を重ね
護摩の火を浴びて一心夏衣

宗祇水は岩から生まれ首夏の天

秀吉の朱印の書状紙魚の跡

白靴の白を残さぬ旅疲れ

でで虫や角だせばまた触れたくて

さみしさの数ほど集ふ盆燈籠

発掘の石は語り部原爆忌

勤労の動員日誌紙魚のあと

茄子の馬母乗り易く仕立たり

走馬灯廻れよ母に逢へるまで

大花火もと軍港の真上かな

口だしも手だしも無用生身魂

踊り子になれば手足の軽きこと

ガリバーの如く跨ぎぬ蟻の道

夜濯のすべてを終へて桶を伏す

夫の手はあてにはならず草むしり

咲く高さ少し残れる立葵

ひと盛りの器量が売られくわりんの実

稲架掛けて農一筋の力瘤

熱燗や病み後の夫へ問ふ機嫌

繰り返す円周率や林檎剝く

集落は早寝早起き曼珠沙華

百姓になりきる落穂拾ひかな

新米に鯛一匹を炊き込めり

穭田の余力の色を尽しけり

青空をひねり柿もぐ棒の先

秋時雨イサム・ノグチの橋の古り

日の当る方から紅葉散りはじむ

五体みな褒めて勤労感謝の日

厄介な京間寸法障子貼る

縄跳ぶや五体覚えてゐてくれし

老いてこそ二人三脚返り花

着ぶくれて声も大きくなりにけり

古趣創生の道――川手和枝

私の父は国鉄に勤めていて、母は農業に従事していた。幼い時から野に咲いている蒲公英や秋七草に親しみ、蛍狩盆踊等も楽しみのひとつであった。また、正月、節分、雛祭などの年中行事もなつかしい。そうした自然に親しみ自然が遊び相手であった。

父を頼って広島に就職した。職場の上司に峰松茂人さんがおられた。茂人さんと吉村馬洗師は無二の親友であり、私達の結婚の媒酌をして下さった。昭和四十四年である。折りに触れては俳句を勧めてもらったが、私は家業に専念することに精を出した。慣れないことの連続で体調を崩して入院。その時に茂人さんが『太田川合同句集第一集』を持って御見舞下さった。それがきっかけで当時の「さいかち」へ入会させてもらった。昭和五十三年である。

しかし、商売と子育てに明け暮れて月例句会は欠席がちで、そんな私を励まし優しく支えて下さったのが、馬洗師の奥様信子夫人であり御長男の明久さんである。そのお蔭で三滝寺群像句碑建立に至ったのであり、心より感謝している。そして、田中水桜先生にお目にかかれる機会を得たのである。

ある年、「さいかち」の夏行大会が宮島で開催された。その席で、岡田文泉氏は初参加の私の句を堂々と紹介して下さり、その名司会ぶりには驚かされた。帰路に三滝寺の佐藤寂笑坊さんと御一緒できた幸運にも恵まれて大いに刺激を受けた。

俳句を通して、すばらしい人との出会いがあり、その都度支えられ助けられて成長することができた。すべては、俳縁のおかげと心から感謝している。途中、「天穹」創刊と同時に移籍して、師・松野自得の理念「古趣創生」を引き継いで学んできた。俳句は私の人生の軌跡であり、過ぎ去った日々の一句一句に強い思い出を刻んでいる。これからも自然の声に耳を傾け、自然の美を静かにみつめ、古趣創生の道を歩んでいきたい。

久保田牡丹

くぼた・ぼたん

本名・久保田大貴（くぼた ひろき）。平成3年5月1日愛媛県生まれ。所属結社「櫟」。平成20年、県立松山中央高校在学時作句開始。21年「第12回俳句甲子園全国大会」団体優勝。25年「櫟」入会。28年「櫟」新人賞。29年「櫟」同人。30年、俳人協会会員。

夏つばめ空に囚はれたる地球

陶工の土を嘗めたる若葉風

暗がりは風の溜まり場不如帰

手のひらの大きくなりぬ更衣

遠回りしたがる母の日の母は

蘭鋳がポニーテールに見ゆる夜だ

瓶に挿す葡萄酒色の薔薇と嘘
昼寝して余計疲れてしまひけり
点眼の開きたる口の涼しさよ
何もせぬ不安ありけり雲の峰
そぞろにも開けては閉づる冷蔵庫
遠雷や猫のはなしに猫の寄り
どつかりと海月や面皰潰したる
総身の溶け込むやうに泳ぎけり

日盛へ船のはみ出す造船所
助手席といふ靴箱に登山靴
瀧までの道のぬかるみ青年期
山気乱して夏河の深みどり
汗拭いて風のきれいになりにけり
振り返る瀧に呼ばれているやうに
倦怠の風を遣しぬ扇風機
事切れし金魚の水を打ちにけり

マドラーの指のかそけき熱帯夜
心太喰ふ独身を持て余し
字余りの如く花火の音来たる
秋虹の匂ひの人を迎へたし
すつぽんが八百屋名物涼新た
秋澄むや古書整然として匂ふ
秋暑しかつて石垣たりし石
城門を潜れば山気鰯雲

空澄むや紙の国旗を響かせて
アイラインの角度に跳ねて踊りけり
月光を乱してペットボトルかな
海底の砂の弾力鰯雲
雲になり損ねて白き曼珠沙華
秋鯖の血をそのままに捌きけり
銀漢のねぢれを正す岬かな
過不足のなくコスモスの広がりぬ

雲に味あるなら通草かもしれず
名水の生まるる山の毒菌
秋雨の水の力を隠しけり
和鋏の切れ良き二百十日かな
茸飯炊きて一人を悟りけり
目の白くなるまで焦がす秋刀魚かな
象嵌の締めの鎚打つ秋時雨
拭かれたる跡のごとくに秋の虹

日本の水のやはらか紅葉山
コンテナを積めばステージ村芝居
地球儀の中は空つぽ神無月
死ぬならば献体として冬の月
冬しづか人は唇より乾く
たまごボーロはかなく溶けて冬うらら
カーテンを明るき色にして寒し
十二月八日卓上磨き上ぐ

ロッカーに均しき闇のある師走

灰皿に捨てし銀紙冬麗

一斉に紙を繰る音冬の月

餅透けて訝しき色ありにけり

切石の段のごとりと冬怒濤

冬晴や遊具の果のすべり台

待ち合はせの白息太く濃く強く

トンネルを抜くれば雪の匂ひけり

不器用は凍瀧のうらがはの水

ドーナツの穴を歪める寒さかな

どの人も腕の寒さを撫でてゐる

白息を交はし約束交はしけり

ポン菓子のぽんと短日使ひきる

焼鳥を銜へてコインランドリー

ニッパーの油の匂ふ雪の窓

湯たんぽをまさぐれば足長くなる

つぶやきに世界はうごく冬菫
ポケットを壺中の天として枯野
雪女とならば酒食に溺れたし
雑炊をみな平らげて湧く安堵
大晦日いづれも普段着に揃ふ
門松の竹の伐口生々し
孤島より鉛筆書きの賀状かな
雲ひとつなかりし青を恵方とす

左義長のぐらりと空のうごく音
大寒や十字に縛る宗教紙
童心に怖きものなし枝垂梅
光整へ啓蟄の土となる
新しき道路の匂ふ春はじめ
いつせいに萌えて前方後円墳
光満たして初蝶の飛び立ちぬ
三月の川のはやさに歩きけり

たとふれば春はらくだの背のまるみ

三月の鳩東京の面構へ

駅弁の箱の正方形うらら

入居日のポストにチラシ四月馬鹿

孤児として歩くなにはの春の雲

屑入れの取つ手の欠けてゐる朧

菜の花の苦み際立つ一人かな

独裁の予感や春の月細く

春潮を聴きて小惑星探す

充電器ばかり四月のコンセント

光りたるところより海清明節

まるでひらがなのはなのゆれてゐる

野遊の靴ひも雲の色をせり

雨だれは硬貨のひかり風信子

マネキンの肌の真つ白春惜しむ

花に花の色胃カメラの映す色

未知数——櫛部天思

久保田牡丹の俳句は武骨な抒情性が特徴である。思春期から青年期特有の挑戦と挫折、安堵と不安を率直に詠んでいて、荒削りではあるものの等身大の男の息吹を感じさせる。

どつかりと海月や面皰潰したる

文芸部に所属した彼は俳句甲子園全国大会優勝を目指し、無我夢中に創作に励む。そして、地方大会で個人最優秀賞に輝いた掲句が、俳人久保田牡丹の出発点になった。

入居日のポストにチラシ四月馬鹿
事切れし金魚の水を打ちにけり
カーテンを明るき色にして寒し
湯たんぽをまさぐれば足長くなる

高校生から青年に成長し、地道に俳歴を重ねる中で、日常茶飯に潜む非日常の世界を情感豊かに詠むようになった。そして、それは彼の内面、特に心の屈折を赤裸々に物語っている。

心太喰ふ独身を持て余し
秋虹の匂ひの人を迎へたし
茸飯炊きて一人を悟りけり
雪女とならば酒食に溺れたし

言わずと知れた恋の句群だが、若者にありがちな甘い抒情はここにない。それどころか、己の無様を実直に詠む冷徹な目線すら感じる。たしかに主観が強い句群である。しかし、青年期の今しか詠めない素材と表現に挑戦している点では認められるべきであろうし、若さゆえの無謀も将来の糧になるものと信じたい。

光りたるところより海清明節
野遊の靴ひも雲の色をせり
陶工の土を嘗めたる若葉風
日本の水のやはらか紅葉山

今後の久保田牡丹には、このような格調高い句、自然体の句を志向してもらいたい。そして、まさに「未知数」の俳人の大いなる活躍を期待している。

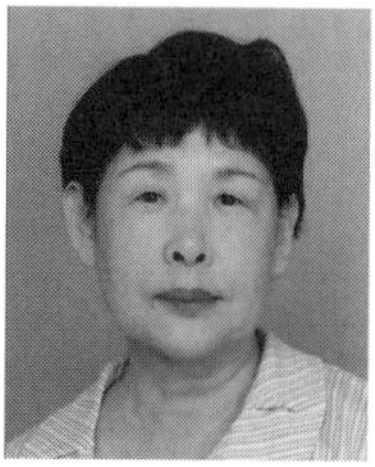

栗岡信代

くりおか・のぶよ

昭和27年9月14日長崎県生まれ。所属結社：「宇宙」。平成24年朝日カルチャー「カトレア句会」入会。29年「宇宙」本部句会入会。30年「宇宙」新星賞受賞。「伴星集」同人。

座の中にありてかんばし桜餅

天空の水は美味いかこひのぼり

噴水に喪ごころのあり祈りあり

選びたる道ひたすらに蟻走る

つゆくさの露に光のリボンかな

何もせぬ一日と決めし小六月

寒鯉を曇らす水の固さかな
思ひ出を輪切りにすれば春の虹
みどりの日うしろ姿の昭和かな
神々の旅のあしあと鰯雲
花芒活けて野の風通はする
如月や宙ぶらりんの余生なる
来し方を問へば卯の花腐しかな
十薬に風の瞬きありにけり

己が身の花火のやうに散るも良し
残暑とはおまけの夏と思ひけり
真実はひとつにあらず鶍の贄
出来秋を鳥も野山も喜こべり
四つ足と二足の和音落葉踏む
忘れてもいいことばかり落葉掃く
北窓を塞ぎ一筆認める
耳朶のきしきしなりぬ寒の内

風花を食む犬の子の真顔なる
須く命のめぐる野焼かな
遺言書少し手直す薄暑かな
学問に王道はなし葱坊主
志曲げず紫陽花咲き通す
口出しはせぬと決めゐし夕端居
台風の直中にあり術もなし
生家とて後継者なし盆の月

嚙み合はぬこと多々ありて一葉落つ
天高し人に海あり山河あり
字余りの如き背の荷もがり笛
万籟にさすらふこころ枯野かな
屁理屈も理屈もゆるび陽炎へる
師に師あり我れに師のあり木の芽風
日本に地球に吾に緑さす
踏青や帰心なしとは言ひ難し

人間をやめたき午後のサングラス
子育ての時期は短かし浮人形
夏帽子使はぬ脳の上にかな
一夜酒その日暮らしを旨とする
もの忘れさへも残暑の所為にする
一切は身から出た錆水の秋
小春日や影に耳あり耳さとし
日向ぼこ人智及ばぬこと多し

縁うすきことも縁や賀状書く
遊びごころ弾むバレンタインデー
割れものの地球に棲めり冴返る
小気味良く動く踝水温む
富士揺らす水のゐくぼよ蝌蚪の陣
打ち首のごと筍の転がれり
尺蠖の斬くも真摯に尺をとる
名苑の順路に沿はぬ黒揚羽

草矢とて行きたい方へ行きたがる

蜘蛛の囲にもがく命を救はざり

一斉に一瞬の黙虫時雨

十三夜余生は神のつかさどる

いにしへの道者に倣ひ登高す

相槌を打つひとありて温め酒

愛犬＝曾良

へへやかをよしなに「曾良」と菊日和

遺跡野に水鳥のこゑ神のこゑ

過去よりも未来尊し寒卵

冬木立われも一樹となりて立つ

日向ぼこ丸き地球の裾にかな

虎落笛いつの世も驥も櫪に伏す

雪焼けのガイドに隙のなかりけり

やどかりを眺めてひと日つつがなし

寄居虫の這ふも転ぶも愛しけり

死にざまは生きざまなるよ亀鳴けり

朗報につづく朗報桃の花

一品を持ち寄り梅見茶会かな

推敲の一字尊し誓子の忌

躍進を春一番に促さる

同門に同名多し山笑ふ

さながらに水が決め手の新茶かな

満を持しぼうたんひらく私室かな

子子は子子のまま了るべし

雨蛙所在知らせるごとく鳴く

いちにちを動かぬ自由蝸牛

妥協なき選句選評涼しかり

白靴や富士山ウォーク堂に入る

筆圧の弱き文読む敗戦日

桐一葉不撓の決意ありにけり

秋気澄む羅漢の耳の地獄耳

一夜とて同じに非ず虫時雨

竜の玉聖なるもののひそとあり
自在なる鴫の浮沈に励まさる
大富士に瑞気のほむら大旦
てにをはの神に端座の御慶かな
屁のやうな小さきプライド冴返る
落札にたぢろぐ鮪冴返る
俳界の一人として亀鳴かす
追伸にちらり本音の落し文

沈黙も会話のひとつ汗拭ふ
蟻地獄不言の言の顕著なる
人間のたかが一生走馬灯
あかときの水の私語きく蓮の花
炎天へ踏み出す一歩三歩二歩
縋りつく形のままに蟬の殻
結界へとんぼ返りの蜻蛉かな
猿酒に一級二級ありぬべし

天性の詩人――島村　正

「宇宙」の誌友、栗岡信代さんは、長崎県の五島列島（旧・南松浦郡）の出身で、居は気を移すのたとえ通り、故山の山河を彷彿せしめる、尊い気を有した作家である。その証左の一斑として、

生家とて後継者なし盆の月

と、平成の、あるいは令和の時世《ときよ》を詠う。いえば、故郷は文字通りに遠くにありて思うもので、帰る所に有るまじきの、宿命の轍をいさぎよし、とする。と同時に、

踏青や帰心なしとは言ひ難し

の本音（望郷の念）を、赤裸裸に吐露することも厭わない。その反面、唯今の今を閲し、

へへやかをよしなに「曾良」と菊日和

などと詠い、前《さき》に天性の詩人と述べた通りの資質を、自在に具現して余り有る逸材と注目して久しい。

ここで少しく余談になるが、信代さんはすでに何冊かの著書を有し、詩集『鍵のない部屋』は野原舞のペンネームで、第三刷と版を重ねる。その後、エッセイ集『書店の窓より』を珍千路舞にて刊行。歌集『露草のひと』は、前の野原舞にて刊行、とオールマイティである。

とまれ、タイトル、ペンネームによって信代さんのセンスに感じ入る。と同時に、タイトルが全てと宣うた、日本一のエッセイスト山本夏彦の至言に改めて納得する。

尚、信代さんは静岡市郷島の秘在寺の寺領に歌碑を建立することで、短歌にけじめを付けられた。

そういえばその昔、信代さんは交通遺児の、

天国はもう秋ですかお父さん　塚原　彩

少年の句に接し、甚く感動。いずれ俳句を学びたいと心に決め、その機会を鶴首。仕事を卒業した朝、俳句をやると定め、カルチャー教室の一日体験に参加、講師の、師系の山口誓子を確認の上、自分の意志で即決入門された由。この先、信代さんがいかに変身されるか期待している。

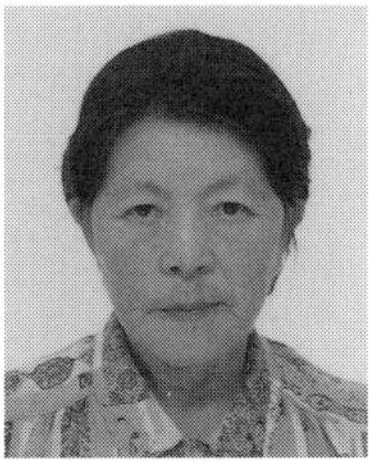

栗田百子

くりた・ももこ

本名・栗田イホ子（くりた　いほこ）。昭和9年9月5日茨城県生まれ。所属結社：「ひたち野」。平成10年故嶋﨑専城主宰の「ひたち野」入会、15年同人。18年霧笛賞、19年特別同人、25年ひたち野賞。21年茨城県俳句作家協会奨励賞。茨城県俳句作家協会員。ひたちなか市俳句連盟会員。

元旦や莞爾と紅を差す筑波

身の程の夢をつなぎて年迎ふ

数の子を義歯にて噛めり有難し

見えぬ手で我を縛れる新暦

初風呂に浮沈重ぬる老いの夢

馴染貌して軒に来る初雀

薄明の浜にドローン初景色
鮮やかな輪廻のかたち親子草
筑波嶺の木霊に触るる旅初め
裸婦像に日の燦燦と春立てり
立春の湯気の噴き出すポットかな
残寒や妣を看取りし六畳間
母によく働く手あり黄水仙
老骨のほぐるる心地寒の明け

三日月の顎のとんがり寒戻る
木々芽吹くすでに己の色をもち
子の発ちしプラットホーム冴返る
野良猫に恋する自由ありにけり
水温む土堤に置かれしランドセル
梅に佇つ卒寿の紅をうすく引き
臥龍梅皮一枚の矜恃かな
地虫出づ虫の一分尽すべく

薄氷や菜屑の透ける外流し

妣に無かりし余生に在りて花を観る

美しと佇ち淋しと歩む花の下

山笑ふリュックに覗く犬の貌

三味にのる津軽じよんがら山笑ふ

霞みゆく舟も灯りも波音も

名にし負ふ霞ヶ関の昼霞

逃水を追ひ故里を遠くせり

春泥を来て祓はれてゐる新車

野遊びのいつか山菜探す目に

亀鳴くや老いても無欲とはゆかず

穴を出し蛇の天涯孤独の目

岩風呂を足が出て行く朧かな

逃水を追ひパトカーに追はれけり

初蝶の猫に追はれてゐたりけり

みちのくの古城に春を惜しみけり

薄暑光湖の真芯にたゆたふ帆
虹抜けてサンフラワー号入港す
衣替へて八十路の背筋伸ばしけり
余生なほ解脱に遠し更衣
みちのくの海の慟哭梅雨の闇
借りて抱く嬰の微笑み若葉光
みどりごの五指健やかに若楓
薫風や誰が抱いても笑む赤子

掲げたる「令和」の墨書風薫る
庭草の攻勢しきりみどりの日
筍を起こす一振り根切鍬
永らへて書き替ふ遺書や明易し
嫁ぐ子と語らひ尽きず夜短か
生き方は変へ難きもの草を引く
古文書の紙魚字に百家争鳴す
拍手を打ちし手をもて藪蚊打つ

香の無きは神の妬心か濃紫陽花

新茶淹れ仏と頒つ古茶碗

生け花の師匠のつまむ蝸牛

顔ぢゆうを口にしてをり燕の子

涼しさや橋灯青く揺れゐたり

手の切れるやうな泉を掬ひけり

走馬灯兎は亀に追ひつけず

郷愁に音ありとせば鉄風鈴

うたかたの恋の思ひ出ソーダ水

十円の氷菓もつとも旨かりし

己が身を焼く炎を見つめ串の鮎

闇仄と揺らして消えぬ初蛍

逢瀬とは儘ならぬもの天の川

防人の発ちし鹿島の夏木立

掬ふ掌をあふるる光岩清水

吊り橋の揺れ身に残る夏の果

露座仏の台座に残る暑さかな
序破急の風が操る萩の舞
あるが儘に生くるは難し風の萩
余生てふ寡黙なるもの萩の雨
萩苑に泛ぶ師の影友の影
爽やかや日の出の前の畑仕事
秋気満つ朝の畳の踏み心地
百本の支柱も景や新松子

狛犬の阿の欠伸めく神無月
句読点打ち処なし虫時雨
雲一朶色無き風を孕みけり
八溝嶺に石の賽積む暮の秋
稲雀十粒の糧に足りて翔つ
嚙み合はぬ老いの会話や秋暑し
穂芒を分けゆく風の先に海
川底の石の百態水澄めり

長き夜の長き電話や寡婦同士

鉢菊を懇ろに褒め集金人

諍ひしあと黙長し夜の長し

一つ目の巨人出さうな葡萄園

束ねたる秣はみ出し吾亦紅

冬隣背を丸めゐる己が影

枯葉散るダミアさすらふ街角に

くれなゐの風となりゆく散紅葉

笹鳴や水音幽き梅里庵

落葉被て城主の墓の鎮もれり

日脚伸ぶ茶房の隅に喪服客

年の市少し離れて占ひ師

さざ波は母の揺り籠浮寝鳥

凩や動けば軋む老いの骨

家ごとに山茶花垣や海人部落

凍瀧に佇ちて身の内熱くせり

栗田百子俳句はとても知的――矢須恵由

栗田百子さんは本名イホ子。茨城県（旭村、現鉾田市）生まれ。百子さんは、「ひたち野」に平成十年入会、結社賞をすべて受賞したほか、茨城県俳句作家協会の奨励賞も受賞している。

百子さんは昭和三十年頃、教職に就き、職場の先輩、杉本一葉さん（現在九十六歳）に勧められて作句を開始、「独楽」（塚本英哉主宰）にも入会して活動した実績があった。百子さんの生地の旧旭村には、昔から俳句を嗜む連衆がおり、俳諧文化の伝統を引き継ぎ、名のある俳人も出た土地柄である。百子さんの作句は、こうした脈脈と受け継がれて来た伝統に立脚している気がしてならない。「ひたち野」入会の切っ掛けも、既に特別同人であった旭村在住の故・秋山紅葉氏の勧奨だったという。

その百子俳句についてであるが、この百二句は、ここ四年間位の作品から抄出したものと聞く。通読して了解されるように、その特色は常識や習慣を疑うところから発想される批評精神によって一貫しているところにある。だから、とても知的である。また、句材においても新しさを求める好奇心があるから、手垢の付いていない斬新さがあり、その点でも大変独自性に富む。〈逃水を追ひパトカーに追はれけり〉〈香の無きは神の妬心か濃紫陽花〉等。加えて百子さんは自己反省が強く謙遜的で羞恥が伴う。従って人間的で人生模様を見事に捉えている佳句が多い。

これらの証左に〈身の程の夢をつなぎて年迎ふ〉〈見えぬ手で我を縛れる新暦〉の句を初めとして〈木々芽吹くすでに己の色をもち〉等を挙げられるが、ここで注視したい点は、用語の上で右の句に見られる「身」「我」「己」のような自己や人身に関する語が多い事だ。例えば、出て来る順に挙げると「老い」「親子」「妣」「母」「老骨」「己」「子」「卒寿」「みどりご」「赤子」さらに「孤独」「解脱」「生き方」「神」「仏」「己が影」などの思索や宗教に関する語も多い。〈穴を出し蛇の天涯孤独の目〉等。

〈凍瀧に佇ちて身の内熱くせり〉の句が示すように、情熱と行動力のある百子さん、今後、いよいよ自由闊達に、益々健康で健吟されます事を祈りたい。

小南千賀子

こみなみ・ちかこ

昭和9年岐阜県生まれ。アンソロジー『芭蕉』『至鳳《ふげし》』『珊瑚礁の彼方』『藁現学』（端渓社）『燦』（弘栄堂書店）。句集『半夏』『呉藍』『晩白柚』。現在「木曜島句会」「氷点句会」。

紅梅に酔いやすきかな姥盛り

立春の卵の一つ人見知り

田の神に一礼をして野を焼けり

野火放ち風の気嫌を見ていたる

思い切り太き尾をもて野火叩く

花の昼産湯の井戸が深くなる

人々は尻尾隠して花の下
足し算をしても淋しい花の昼
おぼろ夜や来る筈もない人の席
草食のわれらはすぐに霞みけり
傷ついて疵つけられて花は葉に
風呂敷を提げて誰より霞みけり
蜃気楼わたる時には手を曳いて
空襲をくぐり来し雛飾りけり

土雛に体温のある旧街道
正装のまま老いてゆく古代雛
菜種梅雨塩の湿りを摑み出す
プライドの高さ山法師の崇さ
花水木鋭い骨を隠し持つ
点滴の一滴ごとに花棟
晩春の隅に零れし正露丸
封緘の中は明るい花菜畑

春愁やいくら拭いても生乾き
電源を切っておいても囀れり
葉桜となりて音信途絶えたり
鍔広の夏帽遠くへ行きたがる
夏帽子アルハンブラに忘れ来し
くちなわの縞を織り出すいざり機
平成を曳きずりながら青大将
縞馬はいま洗いたて八十八夜

五月晴れ鳥の匂いを身につけて
剃刀をやさしく当てる聖五月
粗塩をたっぷり摑む水無月は
曖昧な言葉を返す梅雨茸
振り返る度に濃くなる麦の秋
十戒に触れ落ちやすし花木槿
灸花貧乏性は治らない
へくそかずら寺山修司訛りけり

灸花ほどの嘘なら許されよ
断罪やざわめきやまぬ苦艾
夏蓬村ごと満蒙開拓団
真直に来て突き当る憲法記念日
幾度も洗い直すや終戦日
戦争や血止草では間に合わぬ
花韮にいま幸せか問われたり
黙禱す固く握りし夏帽子

八月に合わない鍵を持っている
眦に力足らざり五月病
風呂敷をたたみ損ねて夏の風邪
逝く夏やCTスキャンに写らない
水打ちていくら待っても来ない人
白地着て魚の裔として泳ぐ
斑猫を騙したつもり騙されて
夏負けて吃水線がぐらぐらす

水掻も尻尾も無くて暑に耐える
糸の端舐めて晩夏を繕える
巴旦杏甘しだんだん物忘れ
裏の戸をときどき叩く狐花
追伸に一本だけの曼珠沙華
被爆地を見んと立ちたる彼岸花
足音を消して近づく天狗茸
紅茸踏んで次の世まで歩く

デコポンの歪ついつでも少数派
簞笥から探し出したる花野かな
猛り鵙見えて通らぬ針の針孔
鬼灯のなかで一夜を倶にせり
シナリオに書かれなかった鵙猛る
烏瓜ひとりごとから私小説
烏瓜曳きて同姓ばかりなり
白桃に近付きすぎて刺されたり

冬瓜にある逃亡のこころざし
無花果を食べ曖昧な氏素性
行く秋や一番奥へ置き手紙
口下手な柚子を絞れるだけ搾る
骨格を確かめている冬はじめ
時雨きて湿りを帯びる厠紙
初鏡嫌いな父に似てきたり
鬼柚子を置いた処が現住所

綿虫に微かな錆の匂いかな
夜更かしをして梟の貌になる
梟の探しあてたる鍵の穴
夜は長し盲目の鳥戸を敲く
長き夜へ当てて較べて鯨尺
モルヒネの効いているなり返り花
咳をするたび方舟が現れる
水餅の底に本音を沈めたり

裸木となりし一本男前

方舟に積み忘れたる風邪薬

泥葱は地下鉄出口間違えし

オートロックに指紋をのこす雪女

冬晴や一糸纏わぬ津軽富士

吃音のまま煮凝ってしまいけり

錠前をして寒月を置きざりに

水餅を覗く私だけが居る

泪にもある体温や凩す

どの辺り終止符を打つ芹薺

盗作をぺんぺん草は知っている

体力の落ちたところへ花薺

水仙花かなしい時も歯を研く

水仙の首折れ易し人嫌い

如月を漁る縄を綯いにけり

如月の中途半端を酢で殺す

何処へ行く――小南千賀子

大正生まれの母は家事育児に精一杯で、文学好きだったが読書どころでは無い時代を過した。子供達にはよく小説や短歌の話をしてくれた。昭和三十年代、高度成長期の始めに家庭を持った私は、まだ衣食に手が掛り、ミシンや編物に時間を取られた。やがて家電の恩恵を受け刺繍など針仕事に興味を持ち、これは器用だった祖母の血を受け継いだらしい。後には気難しい日本画にも手を染めた。

全くの偶然から企業の俳句会を紹介され、個性的な師の洗礼を受ける事になった。恐いもの知らずの勢いで走ったり歩いたり、その間には多くの先輩や句友に影響を受けて来た。終刊までの二十余年は脇見もせず井の中の蛙だったが、やがて俳句界の周辺へ目をやると現代の風が吹き、多様な作家との出会いに恵まれ視野は広くなった。

俳句の入口は大変狭く約束事も多くて取り付きにくい。一旦這入り込むと意外に広い空間が待っている。言葉の斡旋でその裏側には多くの意味が潜在し、読み手によって一句の世界は無限大である。普通の生活の臭いを一旦消し言葉の空間で自らを解放して遊ぶ。一時は毎週俳句会に出席する程の元気もあり、同時にスイミングスクールへ通ったり海外旅行にも出かけ多忙だった頃が懐かしい。

幸い家人にも理解があり、辺地住まいなので句会への送迎や、句集出版の協力も得て此所まで来た。紙と鉛筆で気軽に始めた初学から半世紀もの長い間、迷い込んだ世界を手離さないのは何故か自問自答する。作句が低調の時も体調が悪くても筆を折る事は無かった。性懲りもなくこの不自由で小さな器に言語を盛り続けている。

佐藤　茂

さとう・しげる

昭和19年4月7日三重県生まれ。所属結社：「煌星俳句会」。平成20年四日市市市民大学熟年クラスに入り俳句クラブに入る。21年「煌星俳句会」に入会、石井いさお先生に師事。28年三重県俳句協会、俳人協会に入り31年度より三重県支部幹事。29年煌星全国大会賞。

春哀し手の形に減る農具かな

泥かぶり泥突き破り蘆の角

山祇の追伸文や雪解水

淀君の自刃の跡や春霰

牡蠣殻の山積み伝ふ春の雨

若布箕縫ひて日毎の通ひ船

知床の流氷燃やし日の入りぬ
蒲公英のまだ丈低き被災の地
菜の花の色にふくらむ揖斐川面
降る雨と紛ふ鱵のもじりかな
留守詫ぶる寺に置き文枝垂れ梅
落ちてより蓑虫庵の椿かな
咲く花や迦陵頻伽の舞姿
辻越えを煙に招く田楽屋

入鹿池手鏡にして山笑ふ
春一番鳶の舵尾のせはしかり
春光や伊賀くみひもの手の裁き
世古一つ曲がれば島の春の風
伊勢訛り若布なだめる仕事歌
一連に富士甲斐駒の花見かな
青み増す里の風知る初燕
春潮の波頭を白げ鯔の群

土濁る暴れ九頭竜菜種梅雨

春光や花鳥紋透く御《おん》翳《さしば》

見下ろせば鯤のうねりや藤の浪

九尺の藤の零露の香を掬ふ

清明や如庵の木木の深呼吸

小面の蔭ある笑みや春浅し

鈿女能舞台軋ませ春を舞ふ

採石の傷を癒すや若葉雨

花菖蒲一日揺蕩ひ風と手話

青嵐風鐸に聴く古都の声

翼竜の起こせし風か青嵐

赤涙は止まずデイゴの散りしきる

エイサーの指笛に割く梅雨の雲

五月雨や「戦死ヤアハレ」碑にしとど

陵王の天突く桴や風五月

伊良湖岬眼下にうねる青葉潮

幡渡る梅雨晴の風和上の忌
主無き古墳の風や不如帰
大雨の闇に通し矢はたた神
火柱を尾根に突立てはたた神
夜祭に浮き立つ禰宜の白地かな
鮑伝ひ滴と垂るる夜光虫
ニイニイ蟬土に染入る声壱寸
億万の汗一球に球児の眼

地を擦るごとき宮入り山車傾ぐ
揚花火木星一つ見え隠れ
天地人余さず染めて大花火
調べ無き蟬丸の琵琶梅雨寒し
一斉に山車提灯の点りけり
帰省子の残してゆきし破れ擋網
白檀の香を道しるべ魂祭
新涼や木食仏の深き笑

原爆忌雨に色濃き土の色
磯荒れのけふは早昼胡瓜揉
宙に抜く小津のアングル棉の花
みとばりの日一日ゆるる守武忌
あさがほの震へ幽かに捩り解く
邯鄲の声ある里の日中かな
眉厳しき広目天や震災忌
芒越しストックで指す鎌ケ岳

「五障」舞ふ徳穂の気魄柘榴裂く
逆干しに剛毛光る猪の皮
奈良なれや青の極みを鹿駆くる
潮騒を地唄に木偶の秋を舞ふ
木偶泣けば浦の闇うつ秋うしほ
秋空になぞつてみたり誓子の句
爽籟や誓子住まひしこの辺り
面白き風の話や秋桜

八景を真如となせる望の月

鯉跳ねて歪む白壁秋さくら

草草を灰下に阿蘇の秋暮るる

木曾谷をまるく収めて蜻蛉の目

朽ち折れてピカソ来たるや古蓮田

還暦や東籬に植うる齢草

美濃桑名不断の水や蛤塚忌

冷まじや地底に埋む城一つ

甲斐の味干柿に沁む颪かな

秋霖の隙刺し通す鍛冶の音

大夕焼湖と空染む曼荼羅供

坐漁荘や暮れゆく秋の吹き硝子

老い海女の腰鑿錆びて秋の風

逆襲の鯨に傾ぐ祭船

光る海貸し切りにして牡蠣の船

国宝を護る国宝山眠る

快慶仏の鼻の先より冬に入る

手斧目の柱に草鞋冬日射し

芭蕉翁祖父に酷似の小春かな

木曾源流マイナス五度の春隣

凍て雲の切れ間こそあれ海の色

光芒に消ゆる鶻《こつ》影《えい》寒夕焼

神御座す答志神島鷹の道

鴛鴦の小顔となりて浮き上り

鴨の皆上流を向き休みをり

鴨遊ぶ湖畔の句座や師弟の碑

後山への小灯ゆかし雪ばんば

強霜や竹の葉先に置く胡粉

幾万の水仙咲かす土力

笙の音や冬晴に澄む越天楽

ラデッキー手拍子響く年新

目出度きは俳の師の喜壽初大師

大きな声――石井いさお

声の大きな男、これが茂さんの自称である。詩吟で鍛えた声は大きく自信に満ちている。その前向きな性格が今の立場を確立した。彼と出会ってまだ十年ほどしか経っていないが、その向上は著しく、今や結社（「煌星」）において無くてはならない存在となっている。よく努力すること・釣り・写真・詩吟など得意分野を持っていることが飛躍の原点だと思う。

逆干しに剛毛光る猪の皮

写真家の透徹した眼が作らせた句だ。

冷まじや地底に埋む城一つ

全国大会で大会賞を得た句。雨の中、ガイドの説明を一言も聞き漏らすまいとしていた執念が生んだ句だ。

春一番鳶の舵尾のせはしかり

彼と話をしていると舵尾のような専門用語が次々と飛び出してきて楽しい。

春光や花鳥紋透く御翳

伊勢神宮徴古館での作。彼の初期の作には李白や杜甫などの唐詩の影響が見られたが、この句のように、古代への眼が日本の古典へ向けられてきたことは非常に好もしいことと思う。そういう範疇の句に次のような作もある。

国宝を護る国宝山眠る

京都仁和寺での作。堂内にある国宝を国宝である建物が護っている。大局観のよく表れた句と感心する。

最近では、

潮騒を地唄に木偶の秋を舞ふ

など地元に密着した句も作り始めたようだ。取材範囲を広げ、益々深い句を量産して欲しいと願っている。

今や、俳人協会三重県支部の幹事として、「煌星」の編集委員として、又支部長として俳句活動の中枢を担う存在だが、明るく大きな声をいかして、今後とも更に光り輝く存在であり続けて欲しいと強く願っている。

戸川雅子

とがわ・まさこ

昭和23年11月26日埼玉県生まれ。所属結社：「野火」。平成3年松本進主宰の「野火」に入会、野口夏桐先生に師事。のち池田啓三、菅野孝夫両主宰に師事。同21年「野火」同人。

初春や右手を挙げて招き猫
初明り臨月近き子の祈り
はや三日うどんに七味効かせけり

主婦の座に定年のなし七日粥
土の香や指はづませて若菜摘み
春立つやふはふはをどる花鰹

野を焼きて息づくものを包む雨
啓蟄や三日坊主のストレッチ
末黒野に新しき杭打たれけり
春めくや夫に教ふる畑仕事
機嫌よき音のしてをり種袋
草青むどんと置かれて力石
梅ふふむ古地図で巡る城下町
春泥や重たき靴の測量士

触れ合うてささやき合うて吊し雛
花曇玉こんにやくのぴり辛煮
畝傍山笑ふ耳成山笑ふ
杖借りて奥千本の山桜
桜咲くランチタイムのサラリーマン
春キャベツざくざく朝の厨かな
清明やほどよき距離に夫のゐて
菜の花を添へて焼き立てパンケーキ

朧夜の金箔入の梅こぶ茶
風光る網の干されて漁師町
食堂の二階民宿島うらら
春風の中を兄弟やつてくる
のどけしや島から島へ水牛車
吹かれつつ隅田の風に春惜しむ
囀や早朝に来る水道屋
郭公や浮野は雨を光らせて

風薫る木口揃へて吉野杉
利根よりも低き家並や夏つばめ
田を植ゑて水いきいきと走りけり
両の手に泉を掬ふ聖五月
奥秩父桐の花咲き晴れ渡る
免許更新給油満タン若葉風
若葉寒しづかに姉の骨拾ふ
手に掬ふ星砂初夏の日を弾く

ガジュマルの木陰に語る日焼翁

梯梧咲くあつけらかんと島の雨

老鶯やペットボトルに山の水

堰越えて川波尖る青嵐

紫陽花に触れ行く谷戸の坂がかり

古都涼し大路の先に海開け

夕風や間口の狭き風鈴屋

紫陽花やかけこみ寺に人あふれ

手の跡が天井板に梅雨深し

グランドに梅雨夕焼の水たまり

夜の雨百合の香部屋に強すぎて

竹林は風のゆりかご梅雨明くる

冷房の効きてリハビリ室の午後

病室に夕闇迫る祭笛

利根川の波立ち騒ぐはたた神

涼しさやエレベーターのシースルー

病院の向ひ公園夏祭
トラックの荷台が舞台夏祭
二日目の色や匂や梅を干す
箱で買ふボトルの水や終戦日
盆の客帰りて部屋の広さかな
臥す母へ初物西瓜切り分くる
秋めける乗換駅の本屋かな
かなかなや吊橋の揺れ身に残り

降り続く雨の匂の貝割菜
入山の点呼は深き霧の中
新涼や水族館の回遊魚
青空に応へて高き秋の薔薇
月光や津軽三味線たけなはに
初紅葉阿修羅の流れ音立てて
路地路地の木犀の香や城下町
開演の前の虫鳴く薪能

吹かれ来て夕日の色の赤とんぼ
菊日和ホリデーパスをポケットに
めぐり来る母の忌いつも菊日和
農耕車優先道路稲の秋
新調の眼鏡の視界鰯雲
トラックに米積み上げて天高し
藁塚の中心の棒ふんばりぬ
巨大南瓜据ゑて農園レストラン

柿の秋元気印の子の来る
匂やかにふくるる袋今年米
新米の一年分を積む重み
色変へぬ松や出雲に畏みて
柿を干す空の深さを見定めて
紅葉散る市民マラソン給水所
なまこ壁続く小路や石蕗の花
朝からの鋏の音や石蕗日和

こはごはと毛糸ぐるみの嬰児抱く
住み慣れてこの家が好き笹子鳴く
取り寄せのサプリメントや年の暮
遠筑波橋上駅の寒さかな
朝刊を取りに行くだけ雪を掻く
震度七体験学習冬深し
ちりちりと切干乾く日のにほひ
冬晴や最上階のレストラン

マヨネーズ工場ひたすら割られ寒卵
大寒の寒波に鳥の影もなし
点滴のベッドの硬し寒四郎
艶やかに黄身二つあり寒卵
寒椿潮入川に潮満ちて
本所松坂町公園寒椿
両国のちゃんこ屋蕎麦屋日脚伸ぶ
七十の声高らかに福は内

雅子さんの俳句——菅野孝夫

はや三日うどんに七味効かせけり
主婦の座に定年のなし七日粥
春立つやふはふはをどる花鰹

戸川雅子さんの住む埼玉県・加須市は鯉幟の産地として知られているが、首都圏にある米の一大産地でもある。うどんが名物で、気候も人情も穏やかな土地柄である。

三句はそんな風土に生まれ育ち、今も暮している俳人の感慨である。正月三日のうどんはいかにも加須で、主婦の座に定年のなしは、作者がふっと漏らした吐息であるが、その境涯をすなおに受け入れていることが「ふはふはをどる花鰹」によっても分かる。

俳句を始めたのが平成三年というから、三〇年になんなんとする俳句歴で、この年月の重みが、間違いなく作品に反映されているから立派である。

機嫌よき音のしてをり種袋
春キャベツざくざく朝の厨かな
のどけしや島から島へ水牛車
風薫る木口揃へて吉野杉

雅子さんの句には作為がない。日常の些事をひょいと救い上げて俳句にしている。種袋もキャベツも春の喜びに弾んで、軽やかな音を立てている。これが、とりもなおさず作者の気分である。

旅にあってもこの姿勢は変わらず、水牛も吉野杉の木口も、見た通りのように淡々と描写されていて、はったりもごまかしもない。

草青むどんと置かれて力石
利根よりも低き家並や夏つばめ

雅子さんは、叙景ということを厳しく教え込まれたようで、それが彼女の作品に安定感をもたらしている。基本がしっかりしているために、作品に破綻がないのである。草青む力石、川よりも低い家並と夏つばめなど、言葉運びに無理がない。目立つことをしない作家であるが、確かな実力の持ち主である。

林 力朗

はやし・りきお

昭和18年11月26日滋賀県生まれ。所属結社：「天塚」。平成16年地域の俳句講座に入会。19年「天塚」入会。21年「天塚」同人。俳人協会会員。23年『新撰俳句の杜4精選アンソロジー』に参加。

墨痕あざやか賀状に面構

めでたさは髭根の残るなずな粥

楪や家訓受け継ぐ者の欲し

乾く間も待てず書初見せに来る

詰襟の似合ふ子となりお年玉

たはむれに妻を誘ひし初湯かな

銘酒よりワインを所望女正月
稜線の力抜けをり雪解晴
雲の帯締めて比叡の春浅し
せせらぎは里の心音蕗の薹
白魚の日の出の色に染まりけり
きのふとは変はる風向き畦を焼く
化粧塩ほどの春雪金閣寺
牡丹雪宴は正調博多節

つくしんぼ総立ち嬰の初歩き
討たれたる公達の如椿落つ
山鳩のよく鳴く日なり種下す
履きしまま洗ふ長靴初ひばり
虎杖を噛みて捨畑後にせり
鷹鳩と化す日ふつと風樹の嘆
卒業歌溶接工の手の止まる
初蝶や今年限りと決めし田に

みどり児の公園デビューさくら草

鶯餅母の来さうな日なりけり

遠足の列大仏の鼻穴へ

飼ふことの出来ぬ子猫に鳴かれけり

別れとも知らぬ子猫の銀の鈴

孕み鹿をんな座りの毛繕ひ

ふらここを強く漕ぐのが返事らし

触れ合はぬほどの風あり糸桜

大屋根に乳歯放りて入学す

新社員手の甲に書く仕事メモ

薔薇に酔ふ妻を拾ひて帰りけり

新緑の光を掬ふオールかな

交番を召捕るごとく覆ふ若葉

濁らせて川太らせて五月雨るる

歳下の上司に敬語花は葉に

ほんたうの母の日はわが誕生日

畑には畑友達梅雨晴間
木津川のやがて淀川行々子
父の日の寝息確め帰りけり
父の日やびんたの訳を知らぬまま
蟻の列東海道を急ぎをり
露地いつぱい七夕竹を担ぎくる
冷奴これぞ無職の味なりき
職歴は一つ胡坐の夕端居

陶枕や睡魔呼び込む穴ふたつ
古地図の京より江戸へ紙魚走る
もう少し鼻高くなれ天瓜粉
全員が老眼鏡の夏期講座
買はぬ子に囲まれてゐる金魚売
金魚提げアンパンマンの面の行く
くわりんたうのやうな日焼の一塁手
一斉に閉づる日傘や出棺す

西瓜売る婆の正座と台秤

生身魂かごめかごめの輪の中に

生身魂ふぐり覗かせ眠りけり

遺骨咬み確かむ母や敗戦忌

不器用なはずの男の祭笛

七十路とて叱る母欲し赤のまま

煮魚の目玉飛び出す厄日かな

蓑虫をつかみ僕から俺になる

去ぬ燕わが家育ちの子を連れて

敬老の日黙つて爺になつてゐる

父母無くば異郷のごとし昼の虫

赤紙の通りたる道曼珠沙華

鰯雲より棟梁の降りて来る

天高し牛の押し出す声の棒

月涼し酒豪李白に及ばねど

楠一樹椋鳥万羽収めけり

まだ水に写らぬほどの薄紅葉
きちきちの斥候跳ばせ郷に入る
竹春や風はどこかへ行く途中
寝ずの番して取りし水落しけり
案山子焼く骨のはじける音のして
花蕎麦や山高きまで人の住む
名画座の古き半券この秋思
大空を縫目のごとく鳥渡る

立冬や腕立伏せの骨の音
竜の玉涙の裏を知る齢
冬耕の日時計となる大榎
抱き上げて猫の座奪ふ日向ぼこ
濁流の傷痕抱きて山眠る
煙見て火の色見ては炭を焼く
一茶忌や雀も馬も減りし世に
備長炭古武士の如く熾りをり

父の手を記憶してゐし皮手袋
寄せ鍋に天下国家を投げ込んで
枯れてなほ芭蕉は風を育てをり
薬喰この面々で村動く
職人の跳んで収まる畳替
炉話やにぎり鋏の小さき鈴
枯木立真正直な空がある
十和田湖の暮れて白鳥まだ羽音

警官が犬つれてをり十二月
良寛忌庫裡まで聞こゆ「通りやんせ」
雪女郎オートロックを抜けて来し
静寂を積み上げてゆく夜の雪
妻一人行かせられぬと雪に追ふ
寒鮒を煮て老人の今が旬
煮凝や言葉飲み込む老となり
寒の月先年杉を尖らせる

生きた証——林　力朗

私が俳句を始めたのは会社を定年退職した六十歳の時からでした。営業畑一筋でしたから不規則な生活の上に人間関係にも悩まされグラフに追われる毎日でした。そして仕事を辞めた時仕事以外は何も出来ない自分に気付きました。自然の移ろいに目を向ける事もなく暑くなれば夏、寒くなれば冬だと思う感覚しかありませんでした。

しかし振り返ってみると昔はそんな情感に乏しい人間ではなかった事に思い至りました。何故なら私のふるさとは未だに人情豊かな「忍者の里」滋賀の甲賀なのです。少年時代は童謡の歌詞そのままに兎を追い小鮒を釣って遊んだ自然相手の毎日だったのです。

そんな自分を取り戻したくて歳時記を見ていますと、昔慣れ親しんだ行事や道具が季語として多く載っている事に興奮さえ覚えました。例えば早苗饗、水番、干瓢剝く、遊びでは、おしくらまんじゅう、水鉄砲、夜釣等。そして懐かしい道具では、炬燵、湯婆、箱眼鏡など数えきれません。そんなある日、地域の公報に「俳句入門講座・木田千女先生を迎えて」の文字を見つけて躊躇することなく門を叩きました。すると先生は「一句の底を流れる愛の調べこそが本物俳句」「俳句即人間道」と説かれ、私は深く感動しました。それから十六年の俳句の道です。私も人生の最終楽章に入っております。俳句の道はどの時点においてもまだ尚道遠しと感じるものですが、これからは師の教え「俳句即人間道」を胸に、今まで導いて下さった先生方や先輩に又、自然を愛する心を育んでくれたふるさとに感謝しながら自分の生きた証を刻んで行きたいと思っています。

増山胡桃子

ますやま・ことうし

本名・敏夫（としお）。昭和11年東京都生まれ。所属結社：「からまつ」。由利雪二に師事。平成19年「からまつ」俳句会入会。25年同人。

単純化から抽象へ冬木立

数多の樹裸木という唯一種

鼻に足かけ大仏の煤払い

蕨干し婆口ずさむ童歌

ジャムの蓋やがて二本の蟻の道

風の道見つけ大工の三尺寝

瓜西瓜の踊る湧き水背戸の方

村人の手向けの籠や秋茄子

虫の音を独り占めして父逝けり

身に入むや紅刷き終えし納棺師

曼殊沙華開け放たれし屋敷門

間延びして喪服の列の刈田ゆく

藁匂う刈田に長き墓所の影

虫の音の舞い戻りたる一周忌

頬寄せて冷たき母へありがとう

掘り炬燵喪服の五子の茶碗酒

曾祖父のセピアの遺影冬座敷

通夜明けて孫七人の息白し

冬北斗星の一つはきっと母

一片の陽を頂きて石路の花

シューマンの煌めく調べ春障子

パンジーを植える一日や妻は画家

春愁の倚子の肘にも深き皺

ピアノならラベルのボレロ春の水

指という不思議な動き初節句

突き出しの苦み仄かや炙り鮎

板前は寡黙な婿の初夏の宿

絵空事並べる二人雲の峰

目高の餌忘れないでと妻旅へ

大の字に寝てため息の大暑かな

撫でて後墨打つ柱晩夏光

下校子の声散りじりに秋桜

一斉にずると丸子のとろろ汁

銀髪を並べ銀ブラ秋日和

二人して首痛きまで星月夜

霧に濡れまこと地球は水の星

晩秋の訪れバッハのフーガ鳴る

日向ぼこ思案はいつか迷走へ

狂い出す三半規管虎落笛
狩人のごとき目をする脳外科医
放射線浴びる髑髏や花八手
射貫かれし腫瘍七歳冬の虹
春雪や坪庭光る蔵茶房
つばくろの軒を掠める八尾かな
山車にのる童翁は余花の中
曲り角曳山を押す若葉風

洗濯物摑んで転ぶ庭若葉
水飲んで脳の清掃風薫る
押し登る峰へ緑の濃く淡く
ヒマラヤの百旗はためき秋に入る
森を越え聳える大樹秋夕焼
山の端の闇ことさらに星月夜
僧院の大き車座濁り酒
耕運機で繰り出す一家秋祭

跳躍の激しき輪舞空は秋
子牛虎の仮面の僧や秋気澄む
面取ればイケメン新松子
臘梅や奈良の外れの書家の庵
ウインクのまま髭を剃る初鏡
指一つ立て目配せのお年玉
拝観料受け坊主の懐手
利休ほど覚悟はあるか椿切る

春配り去る朝刊のスクーター
花々へ回診のごと蝶の午後
桜蘂降る乾杯の紙コップ
煌めきを盆に盛るごと春の海
春の海黒船浮べ夢うつつ
残る雪雪肩を並べる野の仏
雪形を見つけ指さす野良着かな
田水張るパッチワークはいつも未完

白装束の巡礼めくや水芭蕉

水芭蕉の漂うごとく帆を並べ

御堂まで続く紫花菖蒲

ありふれて優しき家族韮の花

廃屋の不動の遺影敗戦忌

稲の波運ちゃん自慢のおわら歌

秋の風酒蔵黒き曲り角

風の盆短冊踊る駅舎かな

キリンの群めく赤きクレーンや埠頭秋

お台場の秋天を裂くベイブリッジ

藁塚や身を翻す少女また

湿原に仮名文字描く秋の水

湖に浮くもう一枚の秋の空

真青より零れる柿の夕甲斐路

石積みの残る街道秋の雨

名刹は拝観謝絶添水鳴る

城址いま森に戻りぬ法師蟬

補聴器はまだ他人の耳蚯蚓鳴く

産院のナースになる夢十九秋

秋の看護実習宝物めく聴診器

聴診器下げイケメンの秋闊歩

病棟の廊下を五周体育の日

秋扇目薬四種日に四度

病室の窓に溢れる秋灯

しみじみと杖つく平和草もみじ

新しき畳と障子共白髪

料峭の雲水白き喉ぼとけ

山茶花の古刹の庭の不即不離

脱サラの理屈屁理屈大根引く

嬰泣いて嬉しき家族実千両

山の夜や酒一升と木の芽和え

酌み交わす度に増えゆく春の星

映像を五七五へ――石川春兎

　増山胡桃子さんが所属する吾句会は、東京多摩プロバスクラブの有志が集まり始まった句会です。東京多摩ロータリークラブの主催の「多摩市中学生俳句大会」で「東京多摩プロバス賞」を選考するにあたり、自らも俳句を学ぼうと考えたのです。勉強家の集まる吾句会の中でも、胡桃子さんは熱心に俳句と取組みました。
　俳句を始めて八年後には、「からまつ」俳句会の結社賞である「山河賞」を「脳腫瘍顛末」で受賞しました。二年間にわたる闘病の日々を作品に昇華させたのです。

　　狂いだす三半規管虎落笛　　増山胡桃子
　　狩人のごとき目をする脳外科医
　　放射線浴びる髑髏や花八手
　　射貫かれし腫瘍は七歳冬の虹

　胡桃子さんは、受賞の言葉のなかで「映像を追い、推敲の一か月は、イメージを空間化する建築と同様楽しい時間でした」と述べています。また、由利雪二名誉主宰が「からまつ」誌に連載した一連の闘病句から多くのことを学んだとも聞きました。
　前述のとおり、胡桃子さんは建築家です。現役を引退されてからも、新築や改築の仕事を頼まれて東京多摩市から故郷でもある富山へ通っていました。

　　つばくろの軒を掠める八尾かな　　増山胡桃子
　　稲の波運ちゃん自慢のおわら歌
　　秋の風酒蔵黒き曲り角

　また「ねんりんピック富山2018俳句交流大会」では、茨木和生先生選・藤本美和子先生選の准賞に入選し、授賞式当日の句会でも高野ムツオ先生の特選賞を獲得しました。故郷で開催された俳句大会で表彰されたことは、胡桃子さんにとって大きな喜びとなりました。

　　桜蘂降る乾杯の紙コップ　　増山胡桃子
　　しみじみと杖つく平和草もみじ

「からまつ」誌では、胡桃子さんのカットが誌面を飾っています。その絵のファンもたくさんいます。病気や年齢を言い訳にせず、いつも前向きな胡桃子さんを見習っていきたいと思います。

村岡政子

むらおか・まさこ

昭和12年8月17日愛媛県生まれ。所属結社：「くぢら俳句会」平成4年「糸瓜」入会。17年「糸瓜」主宰逝去の為廃刊。24年「くぢら」入会。27年「くぢら賞」受賞。太洋集同人。31年「金鯨賞」受賞。金鯨集同人。俳人協会会員。

草にとまりて花となりたる秋の蝶

割箸を割れば杉の香秋深む

風音の嗄れてをりけり芙蓉実に

寒灯を消せば風音母を恋ふ

詩のごとく唄ふがごとく雪降り来

抱きあげし子の息甘し冬がすみ

人に逢ふマフラー軽く巻きなほす

水音に覚めて他郷の夜のさくら

吾が影の少し傾げる春の果

啓蟄と思ふ地下鉄乗り継いで

働きし手をいとほしむ夜の新樹

螢火のひとつに闇の動きけり

夾竹桃白し戦争知らぬ子に

春の夢覚めて真白き箱の中

膝つけば祈るかたちや原爆忌

約束は果せずじまひ合歓の花

散り急ぐ山茶花夢は夢のまま

春の灯を点し待つ事しか出来ず

終の地と決めし東京沙羅の花

今日は今日木槿の花が白尽くす

花火果て黒々と湖残しけり

語り継ぐこと八月の空真青

地球儀をくるりと回す夏至ゆふべ

まならの濡れて螢の夜なりけり

別れ来てまた逢ひたしや枇杷の花

仰ぎてをりぬ枯山は父のいろ

丹念に床拭き母の日なりけり

夢を託さむ紫陽花の花のいろ

先の先見えぬが楽し濃紫陽花

峡青し水なほ青し走り蕎麦

母在らば母に摘みたき野菊かな

秋の灯の遠くにひとつ母を恋ふ

侘助の涙のやうな雫かな

木犀一枝光失ふ人の手に

日の匂ひして菊の花束ねらる

歳月や触るれば零る式部の実

怒るとは淋しきことぞ木の実降る

妥協して落葉時雨のなか帰る

ためらうてゐし白菊が凜と咲く
深爪の指より冷えて来たりけり
花枇杷や淋しきときは声出して
幸せと聞かれてをりぬ日向ぼこ
音立てて水が走るよ春隣
どれほどと言へぬ悲しび野火猛る
折鶴に命吹きこむ息白し
うらうらと水うらうらと蝶の昼

背をあづけゐる父の日の大きな木
訪ね来て母亡き家の桐の花
思ひ出に憎なかりけり桐の花
八月が来る胸中に赤い花
ほうたるの近づきさうで近づかず
鶏頭花燃ゆ日向あり日陰あり
かの日は父と今は子と居る秋の海
草の花私は私らしく生く

人容れて枯野やさしくなりにけり

立春や鳥のかたちに飴細工

川のあるこの町が好き初つばめ

合ひ触れし心よ薔薇に水満たす

母の忌の露草露をとどめけり

高望みとうに捨てたり根深汁

冬木に芽しつかり前を見て歩く

冬の滝力をためて落ちにけり

枯るる中歩く急がず振り向かず

鍵穴の小さし暗し花疲れ

少しづつ日の移りゆく花筏

手に伝ふ悲しみ深し青しぐれ

夜の新樹ひとりぼつちを包みけり

啞蟬の羽音のこしてとび立ちぬ

八月の祈り大地に跪く

輪廻転生はるかなる空鳥渡る

橡の実のこつんと佃リバーシティー
歩を合はす人ゐて冬のあたたかし
折れさうな枯木に心重ねゐる
梅一輪洗ひざらしの伊予絣
麦秋の風に吹かるる過去未来
みどり真みどり信濃の国の朝の音
喪ごころや枝に刺なき薔薇を買ふ
膝に置くはらからの文浮いて来い

今朝秋の胸にゆらして土耳古石
待つ人の居る晩秋の窓あかり
一度きりふれし兄の手茸狩
すぐそこに考と妣ゐる手鞠唄
柊の花のこぼるる夕間暮れ
初めての花に人来て鳥も来て
薔薇の芽の燃ゆる力をもらひけり
桐咲いて生国の空ありにけり

紫陽花のいろ定まらず明日は明日

梅雨の灯を点し日中の無力感

きつぱりと身を投げ入れる炎天下

触るるものみなやはらかし秋彼岸

指切りの指も老いたり草の花

晩学の秋の灯ふたつ点したる

夢覚めて夢のつづきの雪螢

酉の町もまれて厄を落しけり

答へ出ぬまま如月の風が鳴る

戸籍は五女今は小さな雛飾る

悲しみはかたち無きもの鳥雲に

白芙蓉吹かれて白を極めけり

白シャツに風入れ夢をふくらます

すきとほる傘に水玉紫陽花忌

北国の空のひらきて桐の花

自分史をひとつ加へて梅雨果てる

努力と精進の人　村岡政子論――中尾公彦

草にとまりて花となりたる秋の蝶

掲句は「くぢら」創刊前の初期の投稿作品で私は秋蝶に漂う哀れや寂しさに触れ、些細な生き物への息吹を見逃さぬ確たる詩人の温和な眼の存在を選評したのももう七年前のことである。その後も情熱をもって熱心に己のある俳句を詠み続けてきた人である。

風音の嗄れてをりけり芙蓉実に

散り急ぐ山茶花夢は夢のまま

今日は今日木槿の花が白尽くす

全句の凡そ四分の一を占める「花」の句は政子さんの詠む俳句の柱のひとつで、四季折々の「花」に託し、己の内面の機微に触れた心象風景を巧みに詠まれている。「くぢら」誌に寄稿の「四季の花便り」の執筆は五四回というロングランの五年余に及びその忍耐強さと責任感、筆力のある文章の連載も好評を博した。

エッセイの中に松山出身のもうひとりの政子さんの半生も垣間見る事が出来て毎号楽しく拝読させて頂いた。

冬の日を賜る車椅子押して

働きし手をいとほしむ夜の新樹

政子さんは日常生活に加えて介護補助の仕事にも積極的に精を出され、新宿区の見守り隊のメンバーでもある。多望な日々を縫うように時間を区切り、昼夜を問わず献身的に高齢化社会を支える一端を担う一人でもある。華奢な体に見えるが肉体的にも精神的にも強固な魂を持つ人でもある。

草の花私は私らしく生く

冬木に芽しつかり前を見て歩く

薔薇の芽の燃ゆる力をもらひけり

介護を通じて人の終焉に立ち会ったり、出口の見えない闘病患者と接する日々の中でも、俳句に己の心模様を投影させてきた。歳月に足取りの見える作品を綴ったり、好きな四季の花を詠む事で癒やされ励まされながら、今後も俳句に生の喜びと苦悩を詠み続け、益々精進してゆく事であろう。時間の許す限り毎月の吟行も熱心に参加し、年に一度の吟行旅行も好奇心を拡げ、共に切磋琢磨している。

森口恭子

もりぐち・きょうこ

昭和15年1月7日大阪府生まれ。所属結社：「青海波」。平成26年「青海波」入会、30年同人。藍碧賞、29年秀逸、30年秀逸、31年次位。現代俳句協会会員。俳人クラブ会員。

波静かナイルクルーズ春の星

レリーフにエジプト歴史春の夢

春うれひ死者の声する王家の谷

春の闇深き眼窩の王ミイラ

龍天に昇る霊魂臓器壺

ミイラ等のつぶやきを聞く余寒かな

黄金のマスクに見入る春手套
ピラミッド細き急坂春暑し
馬車疾走すホルス神殿春の雲
巨大像女王男装春の風
春北斗ベリーダンスの白き腹
老いてこそ気ままに生きる木瓜の花
弘前城花に見惚れて日が暮れて
わんこそば二十杯食ぶ春の旅

網走や雪かき励む青い服
人生の荷物を降ろす花の宿
急坂の万里長城霾ぐもり
春光や権力示す兵馬俑
ゴビ砂漠突如タンカー蜃気楼
莫高窟原色菩薩風光る
勿忘草同じ話の電話五度
城跡や春の気配のそここここに

啓蟄や海馬も眠りから覚めよ
帯止めは母の形見ぞ白椿
凍蝶や常識失せて行きさうな
春の月皎皎とあり知恩院
日独の「第九」永久なり匂ひ鳥
気球ふはり夏風に乗り空散歩
朝暁やカッパドキアはバラ色に
トロイ遺跡巨大木馬に夏日影

合歓の花イスタンブールは猫猫猫
端居してしりとり遊び三世代
老いてこそおしやれ楽しむ百日紅
知恵の輪をもてあましをり薔薇の棘
最果てや崖際までもお花畑
夏の朝烈風哭く丘宗谷湾
廃墟なる軍艦島に赤とんぼ
釣鐘草振れば黄泉より夫の声

若き日の記憶を辿るアマリリス

狂ってる体内時計霧月夜

過去よりも今を大事に秋桜

夫恋へば葉ずれささやく秋の天

父母恋はば高く鋭く鵙の声

落鮎や濁りて早し熊野川

下見るな長き吊橋いわし雲

佇みて熊野曼荼羅汀女の忌

淋しらは熊野聖地へ置きし秋

晩秋や朝靄這へり恐山

犬皮の津軽三味線穴惑ひ

秋日和絢爛屋台飛驒絵巻

秋天に布袋からくり紙吹雪

旅仕度残暑も入れた旅鞄

漏刻の音は悠久秋深む

秋の海幕末ドラマ鞆の浦

ラバ原のトンネル出づる生姜畑

火の女神ペレ大機嫌草の花

キラウエア火山白煙秋天へ

秋の夜火口の炎立ち上がる

入れ墨の男女闊歩す秋の浜

黒珈琲オーシャンビューへ小鳥来る

益荒男のファイアーダンス星明り

記念墓地「井上」眠る遊行の忌

身に入むや観光行かず真珠湾

曼殊沙華ジャンヌダルクの火刑跡

教会のステンドグラス秋澄みぬ

聖堂前モネのアトリエ秋日燦

カリヨンの鐘秋風に乗り響く

天高く木組みの家の並ぶ古都

エッフェル塔キラキラタイム夜半の秋

口づけの若人秋のシャンゼリゼ

パリジャンや橡の実あまた踏み闊歩
秋日和メトロに掏摸の美し少女
「モナリザ」の笑みに魅せられ秋うらら
鶏頭やカフェテラスでカプチーノ
黄落期碧きセーヌに水脈残し
秋光や尖塔天使煌々と
修道院孤島星霜身にぞ入む
水平線見ゆる石垣小鳥来る

秋夕焼モンサンミシェルの静寂
ふはふはのオムレツそそる秋の午後
蜻蛉に送られ帰国コンコース
酒蔵にピアノ音する神の留守
生牡蠣や海のミルクをひと呑みに
再会を誓ふ駅舎や冬木の芽
ハロン湾大小奇岩冬の鳥
冬の朝道に溢るるオートバイ

アンコールワットの日の出春近し
佳麗なるタージマハルの冬日向
象の背や長き行列冬帽子
石窟のシヴァ神像日脚伸ぶ
死者眠るガンジス河の冬銀河
玻璃越しにカナダ国旗と雪景色
ダイヤモンドダスト纏うて街歩く
どこまでも白一色の氷湖かな

雪原にトナカイの角をちこちに
樹氷林バイソンの群ゆるり行く
吠えながら犬十頭の橇速し
夜焚火やソーセージ焼き談笑す
オーロラの出を待つ吾と雪女
雪の女神目覚めず零下寒北斗
忘るるは神の慈悲なり冬菫
除夜の鐘旅と俳句は生きる杖

森口恭子と俳句――船越淑子

恭子さんは爽やかでセンス抜群の美しいレディである。物心共に恵まれた作者の行脚は、国内は元より世界を網羅している。この膨大さに驚く。ファイトの原点は何処から来たものであろうか。恵まれた健康と自由と環境そして飾らない品性。歴史探求の行動力・誰にも愛される人格に尽きる。二人の息子さんも医者として立派に社会に送り出し、今年またお孫ちゃん二人も医学部へ見事合格、絵に描いた様な倖せファミリーである。最近息子さん達の熱望で運転免許証を思い切って返上したそうだ。

除夜の鐘旅と俳句は生きる杖

と潔く云い切る。此処に恭子俳句の原点を見る。

レリーフにエジプト歴史春の夢
龍天に昇る霊魂臓器壺
ミイラ等のつぶやきを聞く余寒かな
朝暁やカッパドキアはバラ色に
トロイ遺跡巨大木馬に夏日影

エジプト・トルコ・ベトナム・カンボジア・印度・中国・カナダ・ハワイ・フランスと俳句行脚は多岐に亙っている。
死者眠るガンジス河の冬銀河
石窟のシヴァ神像日脚伸ぶ
行間より世界遊覧吟行に出ている思いがする。俳句は予てより俳聖芭蕉の様に旅に出てその場で実感し五感に韻いて来た語彙を綴るものと確信している。恭子俳句の中には揺るがない歴史が貫いていて注視の審美眼で俳句を紡いでいる。
曼殊沙華ジャンヌダルクの火刑跡
口づけの若人秋のシャンゼリゼ
秋日和メトロに掏摸の美し少女
オーロラの出を待つ吾と雪女
人生の荷物を降ろす花の宿
忘るるは神の慈悲なり冬菫
端居してしりとり遊び三世代

口をついて出て来る言葉が即俳句に。恵まれた資質をこれからも存分に伸ばして行ってほしいと思う昨今である。

山崎華園

やまさき・かえん

本名・博子。昭和19年2月3日島根県生まれ。所属結社：「創生」「天穹」。平成12年「創生」入会。13年「天穹」入会。16年「創生」同人。17年「天穹」同人。26年俳人協会会員。

初旅や車窓に余る富士の裾

獅子舞の前肢革靴履きにけり

人待つといふ華やぎも初芝居

山のもの採り来て父の注連飾

父母にまるで似ぬ顔初鏡

真みどりの竹のコップにどんど酒

寒晴や山頭火生れ捨てし町
大仏の著き白毫寒鴉
だんだんといふ佳き言葉春隣
料峭や海に刃先の碧さあり
春の川くすくす笑ひ流れをり
つぎはぎの原爆ドーム草萌ゆる
怒鳴られて仕切り直しの恋の猫
山焼く火縄綯ふやうに立ちのぼる

遠州の庭をよぎりてうかれ猫
新駅の石州瓦風光る
甚六の母を泣かせて卒業す
マネキンの素裸なる春の色
肩書を脱ぐ夫とゐて暖かし
漢ばかり守してをりぬ花御堂
廃田に蝌蚪の天国ありにけり
乙女等の啄むやうに茶を摘めり

音立てて浮宮洗ふ春の潮

樟若葉街の真中を被爆川

獣めく大筍を真つ二つ

若葉風被爆電車の引退す

庫裏に干す厚き俎板新樹光

斑鳩の空を自在や鯉のぼり

群青の海一枚や武者幟

母の日や拙き文字のお使ひ券

大山を入れて全き代田かな

花田牛一声高く神事果つ

先づ泥を嗅いで田に入る花田牛

端居して縁遠き子の話など

嫉妬とは厄介なもの髪洗ふ

疲鵜の船べりにある序列かな

張り通す意地などはなし心太

うす暗きことの涼しき京町屋

風鈴や百年経たる深廂
分校は複式学級ジギタリス
万緑を真一文字の団地かな
天領の紙燭涼しき町屋かな
ほうたるにぶつかりさうな里なりき
定年の夫の大志や雲の峰
板の間に討死のごと昼寝かな
一山を暗く塗り込め男梅雨

一夜さに一村消ゆる出水かな
大屋根を被く流木西日濃し
被災地にもののふのごと日輪草
万緑の埋めきれざる山の傷
白南風や犇く原爆無縁墓
七月の空を切り取り凱旋門
渡れざるゴッホの跳ね橋油照
朝焼やモンサンミッシェル影絵めく

レマン湖になだれ落ちたる葡萄畑

アルプスの山容巍巍と夏の天

カウベルの遠音夏野に寝ころべり

花野ゆく登山列車の玩具めく

ポンペイの馬車の轍や草の花

繋留のゴンドラ鳴けり夜半の秋

虫しぐれ石の国より戻りけり

出格子の黒き軒端や朝な草

兄の真似好きな妹ほうせん花

鈴懸の樹皮反り返る原爆忌

水一滴弾く焼石原爆忌

うすれゆく壁の伝言原爆忌

オバマ氏の重き一歩や爆心地

体操に揺るる乳房や原爆忌

村あげて道掃除てふ盆用意

八月や戦知らずのままに古稀

痛むこらへて起立終戦日
飄飄と裏表なき吾亦紅
やんはりと子に諭されて唐辛子
秋晴や深呼吸して初講師
裸堂に人ゐぬ冷えのありにけり
思惟仏の胴の細さよ小鳥来る
戦なき七十年の今日の月
還暦の顔して集ひ紅葉晴

部屋割るるほどの雑談敬老日
国来くにこ出雲振りなる稲架襖
五勺ほど足して新米炊きにけり
まならに湘子の破顔新走り
音軽き足踏ミシン文化の日
秋小寒潜水艦の腹赤し
秋深し石灯籠の被爆痕
短日や山の上まで団地の灯

小春日や故郷に祖父の頌徳碑

茶の花や薩摩屋敷の女門

道譲る人に手を上げ冬温し

なまこ壁続く掘割石蕗の花

小春日や母のやうなる姉と居て

一撃のところ違はず牡蠣を割る

能登棚田一枚ごとの霜の花

冬蝶や透明といふ死のありぬ

兵たりし父が器用に毛糸編む

冬ともし春慶塗りの廊の艶

ゲルニカの届かぬ叫び冬北斗

着ぶくれて玉三郎に会ひにゆく

宿の湯のほてり足まで雪もよひ

冬すみれほどなる古稀のこころざし

ネオンの帯揺るる師走の被爆川

迷はずに十年日記買ひにけり

俳句を楽しむ―――山崎華園

俳句を始めて二十四年になります。夫の転勤で、鳥取県の米子市に三年間住んでいたとき、書店主催の俳句講座に参加したのが、私の俳句の原点です。

米子から広島に戻り、平成十二年に「創生」俳句会に、続いて平成十三年に「天穹」俳句会にも入会しました。「創生」俳句会に入会したとき、今は亡き吉村馬洗主宰から俳号「華園」をいただきました。花を育てるのが大好きでしたから、この俳号が恐れ多くも気に入りました。このとき、俳句にスイッチが入りました。

平成二十六年の第五十回平和祈念俳句大会で広島県知事賞をいただきました。

うすれゆく壁の伝言原爆忌　　華園

この句は爆心地近くの袋町小学校の壁に残る伝言を詠んだものです。この小学校は爆心地から四百六十メートルの位置にあり、原爆によって木造校舎は全壊しましたが、唯一コンクリート造りだった西校舎が全壊を免れました。被災者の救護所として利用された西校舎内の壁には、被爆者の消息を知らせる伝言が記され、今でも残っています。故吉村馬洗主宰はかねがね「広島の俳人なんだから平和を詠まんといけません」と言っておられたから、この句の受賞は殊の他嬉しかったのです。少しは恩返しができたような気がしました。

平成二十八年、おこがましくも近所の口田公民館で、「初心者俳句講座」を開き、翌二十九年にはその講座のメンバーを主体に、「福寿草」俳句会を立ち上げ、指導しています。かつて先輩に言われた「俳句は楽しんで作る」「俳句は継続が肝心」をモットーに、何でも話し合える風通しの良い句会でありたいと心掛けています。十五名の会員が日に日に上達され、たのもしいことです。

俳句に卒業はないといわれます。浅学菲才の私にとって、俳句独特の言葉などあって、常に勉強が必須で飽きることがありません。

後期高齢者になり、今まで以上に健康に留意しつつ俳句を楽しみたいと思っています。

百合 操《ゆり・みさお》

昭和8年9月20日兵庫県生まれ。所属結社：「花野」。平成7年より中井之夫に師事。8年「花野」創刊に参加。12年花野賞受賞。「花野」同人。22年犬鷲賞受賞。平成26年1月より同人会副会長。

猛る火も遊ぶ火もある野焼きかな

朝市の間引き菜藁で束ねられ

花の雨路地を出て行く利休下駄

一病を忘れさせたる蜆汁

如月の無口な客を迎えけり

話しつつ折る手に生まれ紙の雛

おみくじを離れて読む子花吹雪
尾を立てて恋猫明けに戻りけり
登り窯しんと静まる蝶の昼
鶯の声の澄みたる谷の村
お下げ髪なびかせて行く花の風
山裾の夕暮れ白き梅匂う
残雪の解ける音あり獣道
迷いいる道に寒梅匂いけり

葉の匂い優しく濡れし桜餅
時計よりピエロ飛び出す日永かな
雛壇の陰より声の糸電話
歳問えば指立てし子の雛祭り
流れゆく雛に果てなき海青し
立春や巫女乗り合わすエレベーター
手の平に土の温もりつくしんぼ
落日の風止み海辺の黄水仙

何もなく梅の小枝を土産とす

降りそうな空を支えて葱坊主

夕暮れの海へ草笛吹き続け

野菜売り荷にかぶせたる夏帽子

昼寝覚めまずは時計を確かめる

夕暮れの野をゆったりと夏の川

炎天に球蹴る子等の未来かな

朝日背に豌豆摘む手の早さかな

戦争を語り始める団扇かな

風鈴の風呼ぶ窓を開け放つ

鳴き砂の触れる足裏夜の秋

席ありと夏帽高く振りにけり

風鈴や婆の手にする木綿針

雨蛙葉っぱの上の王子様

一日病み一日老いし半夏生

夏の夜や泣いて終わりの肝試し

昼寝覚め教師に戻る眼鏡かな
風鈴を背なに聞きいる厨かな
栃の花薪散らばる登り窯
船よりも大き陽の入り夏の海
夏山を背なに入り江の舟屋かな
甚平を着て欲得を離れけり
とろろ蕎麦相席となる麻のシャツ
本降りの雨が消したる黒揚羽

覚めきらぬ目覚めにどっと蟬の声
猫の籠下げし女のサングラス
向かい合う人に西日の車窓かな
丹波路の丸き山芋あばた面
自転車を降りて友来る秋すだれ
柿を売る大きな手の婆口達者
霧の中草刈る音の聞こえけり
村芝居楽屋に届く衣被

鰯雲鉄骨のビル立ち上がる

生きるとは迷うことなり水馬

石蹴って黄落の坂下りけり

万歩計桜紅葉を行き来する

自然薯の深さを掘りて暮れにけり

思い出に話の弾む夜長かな

犬小屋のやっと仕上がる秋の暮れ

七味など置かぬ屋台の走り蕎麦

秋深し読み止しの本積み重ね

まだ動く祖父の時計や藪柑子

爺さんが口笛を吹く良夜かな

山萩の花零しつつ咲きにけり

遠尾根に無言の月の上りけり

子等を呼ぶ声の澄みいる花野かな

団栗の落ちたる音の転びけり

秋風や簾の残る窓一つ

山裾の出水に浸かる蕎麦の花
朝採りし白菜を抱き胸濡らす
籠の犬放ち遊ばす花野かな
メモ残し帰る庭先石蕗の花
雪折れの椿の枝にある蕾
人違いされて戸惑う冬帽子
冬陽射し母の香残る小引き出し
吹き上がる七草粥に野の香り

陽の溢れ崩れんとする寒牡丹
綾取りの川にはじまる日向ぼこ
ゴンドラの停まりしままや山眠る
積み藁に湯気立ちのぼる冬田かな
風呂吹きや親の代から同じ椀
短日のうかうか暮れてしまいけり
行平の粥煮こぼれる夜寒かな
うそ寒の指先で捲く時計かな

鸛冬の青空見上げおり
冬帽の釣師で埋まる始発バス
初時雨軒に並びし灯油缶
短日や受話器の中に時計鳴る
母老いて小さく切りし雑煮餅
朝市の火鉢かかえる女かな
補聴器に石焼き芋の声遠し
朝寒や粥に添えらる梅赤し

手袋がポケット膨らす日和かな
木枯らしや記憶の中の父の声
風呂敷の結び目固き師走かな
七草の幾つか摘みきし厨かな
人日の嚙んでほぐせる筆の先
福耳のはみ出している冬帽子
冬帽子耳美しき女来る
聞香の座をざわめかす初音かな

地道な努力家――中井之夫

私が初めて百合操さんに出会ったのは昭和二十七年の春、豊岡ＹＭＣＡの集会だったと記憶している。お互いまだ二十代、俳句とは無関係の出会いだった。時を経て、兵庫県職員としての四十年余りの勤務を終えた私が故郷但馬で俳句の初心者講座を開くことになったとき、それに参加した「豊岡乙女会」なる二十人ほどの女性たちの中に百合さんがいた。

その後、この講座の受講生は三十人ほどになり、同時に私が講師を務めていた但馬生きがい創造学院の受講生を合わせて五十人余りで俳句雑誌「花野」を発行することにした。これは、京極杞陽の「木兎」廃刊以後、但馬から「俳誌」が発行されていない不幸を思ってのことだった。

百合さんの加入により、写真家のご主人にも様々な場面で助けていただくことになり、写真と俳句の合同展のようなものも何回か開くことができた。

「花野」には花野賞と犬鷲賞の二賞があるが、百合操さんは第二回の花野賞と第八回の犬鷲賞を受賞している。その中から幾つかの作品を紹介しておきたい。

猛る火も遊ぶ火もある野焼きかな
野菜売り荷に被せたる夏帽子
村芝居楽屋に届く衣被
人違いされて戸惑う冬帽子
昼寝覚め教師に戻る眼鏡かな
万歩計桜紅葉を行き来する
ゴンドラの停まりしままや山眠る
席ありと夏帽高く振りにけり

どの句をとっても、作者の日常が見えるような素朴で温かい作品である。大きな病気をされたときも、最愛のご主人を亡くされたときも、百合さんは俳句を続けてこられた。今日までの作品を振り返るとき、私は彼女の地道な努力の集積を思わずにはいられない。

吉野世津子《よしの・せつこ》

昭和15年6月21日東京都生まれ。所属結社：「同人」。平成6年「同人」入会。杉山恵子師、8代目主宰山川幸子師に師事。18年「同人」黄梅集作家、27年「同人」紅梅集作家、俳人協会会員。

繭玉にふれゆく母の通り道

送る荷のひとつに加ふ雛の菓子

山門の中より桜吹雪かな

海光に紛るる鳶の巣立ちかな

母さんの心配つきぬ草の花

一筋の夜の雲白し去年今年

声にして裸馬の句碑読む初桜

花を見て海を見てゐる異人墓地

花吹雪風の容の見えにけり

校庭の白き直線秋澄めり

小鳥来る小学校の大きな木

獺祭忌明るき月を仰ぎをり

サイレンと行く救急車冬銀河

寒昴大樹の影の波打てり

大風の静かになりし冬木の芽

冬すみれ一歩小さく踏み出せり

初暦繰りて真白き月日かな

花筏水路のゆるく曲りたり

万緑の中より長きすべり台

てんとむし子の目差しに飛び立てり

残る虫長き沈黙ありにけり

ここまでと杖に添ひたる草の花

杖の音消ゆる落葉の深さかな
下町の育ちなりけり羽子の市
囀や背中の見えしかくれんぼ
夢ひとつ語りて母の日なりけり
つりしのぶ窓開けはなつ町工場
亀の首ぬうつと伸びる残暑かな
鳶の笛色なき風に乗りにけり
枯れし菊棒一本に支へられ

失せ物の失せしままなり十二月
小流れの音なき春の寒さかな
かけつこのゴールの桜吹雪かな
父からの短き手紙大夕焼
心足るひと日たつぷり水を撒く
遠茜時雨の傘をたたみけり
冬萌の日差へ母を誘へり
富士山とスカイツリーや明の春

あつさりと難所越えたる絵双六

湧水の一杓春の光かな

花吹雪ふつと立ち寄る小間物屋

雨あとのなんとやさしき木の芽山

海からも山からも風夏座敷

漂うて月の海月となりにけり

遠雷やしづかに季の移りゆく

塩むすび大ぶりが良し今年米

よく動く亀の四ッ足水澄めり

満開といふ静けさに冬桜

凩に神々星を散らしけり

大鍋をどかりと洗ふ七日かな

春筍を選りをり旅の終りかな

春夕焼児に叱られてしまひけり

初燕銀座の空をひとしきり

肩車の児の触れてゆく柿若葉

鼓笛隊五月の空を震はせて
何となく居間に集まる夜長かな
むらさきの手袋母の忌なりけり
空つ風関東平野を鳴らしゆく
凍滝の水音しかとありにけり
無言てふやすらぎのあり七日かな
ジグザグと登山電車やうららけし
是よりは箱根関所や木の芽張る

陽炎や象のくぐりし関所門
半身を起す病床若葉光
長生きの家系でありぬ墓洗ふ
懐手潮入川の夕日かな
枯木道一直線の月夜かな
春疾風哭く九州の大地震
忘るるといふ幸のあり青葉風
潮匂ふ大川端や晩夏光

ふりむけど人影もなき秋の声
長椅子の端が大好き虫時雨
枯蟷螂眼のしつかりと動きをる
花の名を問はるる朝や寒の明
竹林をさらさら鳴らし春来たる
水底のうごめくものよ五月来る
飛行機の離陸着陸麦の秋
朝顔や路地に干しある作業服

天高し蛇笏龍太の地に佇てり
さやけしや龍太歩きし石畳
日の温み残る夕暮小六月
手拭ひを首に白菜真二つに
裏口の人の気配や花八手
一陣の風一面の枯芒
冬蠅の終の動きの二歩三歩
立春や米十キロの封を切る

青嵐東京湾の揺らぎけり
ゆるやかな流れのままに水馬
天高し歩道橋へと盲導犬
秋の声古刹に座してをりにけり
神殿の朝の静けさ小鳥来る
園児らの歌声小春日和かな
消したしと思ふ日のある古暦
大歳の月を横切る機影かな

初御空大漁旗のひるがへり
春近かりし窓越の光かな
合歓の花咲き初む夫の散歩道
車椅子たたまれしまま梅雨夕焼
山積みのことはさて置き草を引く
雲の峰水平線より立ちあがる
遥かより風の鳴る音秋思ふと
海原へ零るるばかり冬銀河

雲の峰——吉野世津子

　ふとした切っ掛けで杉山恵子先生をご紹介頂き始めた俳句、初めての句会には現主宰山川幸子先生が参加して下さいました。「弥生句会」と名付けた句会は皆同窓生、俳句（らしきもの）がたくさん出来てとても楽しいひと時でした。その内、俳句の奥深さに触れてたじろぐことも度々。一方、その奥の深い俳句に向き合うという張り合いを感じる様になり、気が付くと二十五年という歳月が経っておりました。季節の移ろい、心のあり様などともすれば流されてしまいそうなその時々を託せる俳句は、日々の暮しと共にあると思います。

　主宰の言われる様に「肩の力を抜き感じたままをすっきりとリズム良く」私の「今」をこれからも俳句に詠んでいきたいと思います。

　俳誌「同人」は令和二年に創刊百周年を迎えます。その記念特集号（四月号）と時を同じく発刊されるこの選集に参加させて頂いたことは、大変嬉しく生涯の良い記念となります。

天と地で——山川幸子

　三月に学生時代の友六人で始められた句会。句会を「弥生」と名付け、杉山恵子先生を先頭に我が家で句会を始めた。学生時代の気の合った友との俳句への統合は和気藹藹、叙情・叙景を気持と心で受け止めつつ、名所巡りや、散歩に出掛ければ「今日の風・今日の木々・今日の花や鳥……」と一句の中心となるものを的確に詠じ、二十五年の間に紅梅集作家という高位置に、自作俳句が並ぶようになられた。二十五年には友との別れ、病気等々で、句会は三人となり「弥生会」が閉じられた。そんな中で彼女は三級上の「紅梅」作家となられ、季節をしっかりと捉える力を身につけられた。つい最近彼女から笑顔が消えた。が句会は出席。実はご主人様が急逝なされていらしたのである。笑顔の消えた彼女の心の内に夫は生きていられるのだ。私は彼女に、東京四季出版の『現代俳句選集』完稿をお薦めした。亡夫と妻の心の触れ合い。「天と地」で結び合う「今」に拍手を……。

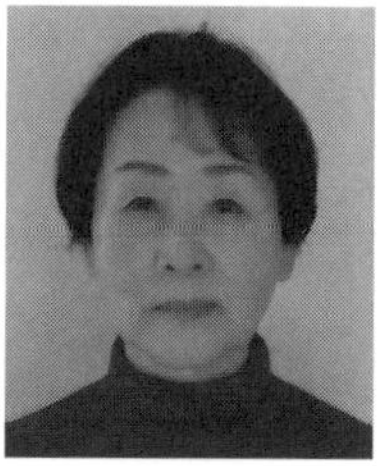

米田由美子《よねだ・ゆみこ》

昭和19年1月9日広島県生まれ。所属結社：「創生」「天穹」。平成9年「創生」入会。10年「天穹」入会。15年「創生」同人。「天穹」同人。29年天穹賞受賞。俳人協会会員。

大吉よ小吉よと言ひ初みくじ

口ぐちに春七草を諳ずる

梅一輪かはるがはるに人の息

春一番キャリーバッグが走り出す

拇印のごと鶯餅にある凹み

天辺のどこかが壊れ春霞

消しゴムを机上に二つ受験の子
雛飾り起居やさしくなる少女
水に置くまでの逡巡流し雛
沈丁の真盛りにしてうとまるる
海よりの風の鉾先糸ざくら
マカロンのパステルカラー初蝶来
花種を買ふや絵の具を選るやうに
吹き上げて花の坩堝となる虚空

マッサージ師まづ花冷えを言ひてより
枕辺にノートパソコン春の風邪
辛子つんと春の愁ひを解き放つ
チューリップ笑ひ転げてゐる真昼
手捕りたる蝶の鱗粉腥し
春泥の中へ母の手ふりほどき
野遊びのあとの山菜づくしかな
水使ふことの愉しき今朝の夏

薔薇の香に泥酔の態はなむぐり
一組は泣かず端午の泣き相撲
薫風や刻書に粗き鑿のあと
少年の草笛のまだ譜とならず
宥めても花瓶の百合のそつぽ向く
アマリリス妬心あらはに背きあふ
雀らのこの騒ぎやうさくらんぼ
ミニカーのごとてんと虫掌に這はす

瞑ればくさぐさのこゑ夏木立
尾の切れて極り悪さう青蜥蜴
戯れに実桜を食み同世代
あめんぼの足はコンパス水輪増ゆ
実梅落つ三日続きの雨に倦み
梅漬ける水あがるまで番をして
少年のひげのうつすら枇杷熟るる
ひとしづく子の掌に移す螢かな

足もとの何かが動く草いきれ

日盛や番犬吠ゆること忘れ

寝おちたる子らは卍に熱帯夜

片かげを得て工夫らの昼餉かな

よき音や土用蜆の量り売

蟬声の沸点となる楠大樹

湖上駅より乗り合はす迷ひ蟬

帰省子の身の箍ゆるぶ眠りかな

夜の秋オンザロックの呟きも

死してなほかなぶんぶんの鋼色

約束のごとくパセリを食べ残す

摑み合ひはた背負投げ蟹の恋

取り箸の湿してありぬ葛桜

一匹は仲間はづれや屑金魚

くちなはの過りし草の湿りかな

会へばすぐ口癖のごと暑さ言ふ

蛸に指吸はせて見せて引売女
麦こがし母は鉛筆派で通す
蜜豆や隣の席のよく笑ふ
恐ろしき色よ夜店のりんご飴
乾涸びて蚯蚓はひらがなのかたち
どこよりぞ酢の香に聡き蠅ひとつ
球児らの声を投げ合ふ炎天下
飛び込みの少年肩で息すなり

水舟に鳴かせて洗ふ秋なすび
到来の桃にまだある蒙古斑
溝蕎麦の殖えて母郷を淋しくす
カーナビの知らぬ林道夕かなかな
句読点打つては鳴けりきりぎりす
助手席に蟷螂ヒッチハイクかも
冬瓜汁書かねばすぐに消ゆる言
桐の実の落ちて話の曖昧に

秋扇ことば躓くとき開く
推敲の途中秋蚊の耳打ちす
秋蚊打つ掌に刻印のごと屍
秋蝶と延命水を頒ち合ふ
一鍬に弾き出さるる秋蛙
柚子坊が育ち盛りの糞落す
とろろ擂る昔話を言ひ交し
秋思ふと帰らぬ人の文に声

草の花摘みつつ母のおくれくる
試着室のうぬぼれ鏡秋の薔薇
塵取に蝶の片翅野分あと
蓑虫をやたらに吊し静かな木
川風や余燼のさまに曼珠沙華
鶏頭の密密と種殖やしけり
菊の武者夜はぐつすりと眠られよ
師と弟子の音を違へて松手入

カクテルに金の三日月柚子一片
吊革のひとりは読書小六月
老猫の日の座ゆづらず石蕗の花
昇降機マスクばかりが乗つてくる
はづし置く手套十指の癖さらす
居眠りのうつされさうな暖房車
呼び止めて路地にほまちの蜜柑売る
冬夕焼川は琥珀の帯となる

落葉踏む音のさびしき爆心地
その影の揉み手してをり冬の蠅
天気図は西高東低おでん煮ゆ
数へ日のメモをするにも濡れ手なる
木の家のどこかが軋む冬ごもり
ポトフーの鍋のことこと雪降り来
悴みし指を嫌がる小銭かな
露凝るや夢見てをらむ庭の草

俳句の醍醐味――米田由美子

俳句の醍醐味は、作者と読者が感動を共有することではないだろうか。それには、よい句を作り、深く鑑賞する力がなければならない。よい句とは、平明な中にも意外性があり読者の心をゆっくりと満たしてくれる衒いのない句のことである。鑑賞する力は感性を磨かなければ得られない。多くの優れた俳句を読むだけではなく、いろいろなことに興味を持ち、体験をし、知識がなければ佳句であっても見逃してしまう。

初学の頃は、写生をして俳句の型に収めるだけで終わっていた。しかし、俳句を学ぶうちに物足りなさを感じるようになった。それだけでは情景を伝えることはできても感動を与えられないのではないか、と思うようになったのである。

俳句は十七音の短い詩、すべてを語ることはできない。その中にどれほどの情報を入れれば相手を納得させられるのか、それが課題である。

ところで、俳句の種は探すのではなく偶然に見つけたときの方が感動が大きい。それを句にするとき、先ず考えるのが対象をどのように切り取るかである。焦点をどこに当てるかで、魅力のある句になるか平板な句になってしまうかほぼ決まる。

句作で最も大切なのは季語の斡旋である。省略をし、説明を避けなければならない俳句では当然言い足りない部分が生じる。それを季語が語ってくれ、包み込んでくれるのである。さらに、切れ字の効果や助詞の使い方にも留意しなければならない。

推敲は俳句に欠かせないが、それに行き詰まったときは、一旦その句から離れることにしている。後日、もう一度推敲を為直すと、句の良し悪しがはっきりと見えてくるからだ。

これからも、季節の移ろいを常に感じながら俳句を作り続けてゆきたい。

現代俳句精鋭選集19

発行　令和2年3月20日
発行者　西井洋子
発行所　株式会社東京四季出版
〒189-0013 東京都東村山市栄町2-22-28
Tel 042-399-2180　Fax 042-399-2181
http://www.tokyoshiki.co.jp
E-mail : haikushiki@tokyoshiki.co.jp
印刷　株式会社シナノ
定価　本体2900円+税
ISBN 978-4-8129-0982-9